# 竹中平蔵への退場勧告（レッドカード）

佐高信

旬報社

# はじめに

小泉（純一郎）内閣で竹中平蔵が総務大臣になった時、菅義偉が副大臣だった。以来、菅は竹中を頼りにしている。竹中のアタマを借りているのである。だから、菅内閣は竹中内閣だとも言える。

規制緩和という美名で弱肉強食のジャングルの自由に戻そうとする竹中の〝改革〟はさすがに悪評高いが、個人的にも竹中は考えられないような公私混同をする。

堺屋太一が小渕（恵三）内閣の経済企画庁長官となって「経済戦略会議」をつくり、竹中はその委員に就任する。その会議の事務局長だった三宅純一に、一九九八年秋、竹中が驚くべき申し出をする。

「三宅さん、官房機密費を使ってアメリカに出張したいんです」

ペンシルベニア大学のウォートンスクールにあるモデルを使って分析したいのだという。

竹中の軌跡を丹念に追った佐々木実の『市場と権力――「改革」に憑かれた経済学者の肖像』（講談社）によれば、その時、竹中は「三〇〇万円」という金額まで口にした。

あまりに非常識な話に三宅は、

「竹中先生、官房機密費がどんなものかわかっていてそんなことをいっているんですか。個人的にアメリカに行くというのなら止めませんけど、公務で行くから官房機密費を使わせてくれなんていう話を官邸につなぐことはできませんよ。官邸だってそんな話は認めないと思います」

と返した。

怒気を含んだ三宅の答に竹中は「しまった」という顔をして去って行ったという。

仮定の話だが、菅内閣になったら、竹中のこうした私物化も通ってしまうのではないか。この本で指弾したように、竹中には、〝逃税〟疑惑もある。とにかく、公けの場に出してはいけないし、ましてや、政策などに携わらせてはならない人間なのである。

竹中の処女作『研究開発と設備投資の経済学――経済活力を支えるメカニズム』（東洋経済新報社）は共同研究者の名前をはずして、自分だけの手柄にした。その間の事情をよく知る宇沢弘文（ノーベル賞級の経済学者）から、私は直かに竹中批判を聞いた。

九月七日付の『朝日新聞』は一面トップで「日産に政府保証融資一三〇〇億円」と報じた。日本政策投資銀行（政投銀）を通じてである。ゴーン事件で明らかになったように、横浜に本社のある日産はそこが選挙区の菅と深い関係がある。また、政投銀は、竹中が勤めていた日本開発銀行の後身である。日本航空に政府保証で融資した額のほぼ倍の融資に何かキナ臭いものを感ずるのは私だけではないだろう。
ここで改めて竹中平蔵にレッドカードを突きつけなければならないと思う理由である。

目次

# 序章
# 退場すべき竹中を守る五人のキーパーソン

私は二〇一〇年に『竹中平蔵こそ証人喚問を』（七つ森書館）という本を出した。竹中は企業だけがトクをする派遣労働についての規制を緩和したりして、国民ひとりひとりの購買力をなくし、結果的に日本の経済をメチャクチャにしたからである。

もちろん、政治家の汚職等も厳しく糾弾されるべきだが、中立的な学者を装って、現在も会長をつとめる人材派遣会社のパソナに有利な政策を展開させる究極のエゴイストの竹中をこそ、国会に呼んで証人喚問すべきだろう。

一〇年前に出した『竹中平蔵こそ証人喚問を』は、竹中のいかがわしさに気づいていた人が多かったためか、予想以上に版を重ねた。

しかし、竹中は証人喚問されてもいないし、レッドカードが出ているのに退場もしていない。

その間に版元の七つ森書館がなくなってしまった。それで、そのエッセンスと一緒に、その後の竹中批判を加えて、集大成の決定版を改めて世に送りたい。

私が問題作を出した三年後に佐々木実が大著『市場と権力――「改革」に憑かれた経済学者の肖像』（講談社）を書き、大宅壮一ノンフィクション賞を受賞した。綿密な竹中批判である。ここで改めて竹中を断罪したいと思うが、竹中を取り巻くキーパーソンとして三人＋二人が挙げられる。

一人は、竹中を大臣にまでした小泉純一郎である。小泉は郵政民営化ならぬ会社化を含む規制緩和を竹中に丸投げした。小泉は純一郎ではなく、単純一郎であり、郵便局が過疎地等のライフラインになっていることを理解できなかった。

私は、二〇〇九年に『小泉純一郎と竹中平蔵の罪』（毎日新聞社）という時評集を出したが、その巻頭で「ギルティ・ペアの小泉と竹中」と題して、次のように指弾した。

## ギルティ・ペアの小泉と竹中

二〇〇八年秋、世界恐慌ともいうべき金融危機を惹き起こした責任を問われたアメリカの連邦準備制度理事会（FRB）前議長、グリーンスパンは、

「規制緩和や自由競争を推し進めたことについて一部に誤りがあった」

と謝罪した。

これは議会での発言だが、日本では〝ギルティ・ペア〟の小泉純一郎と竹中平蔵を国会に呼んで、その罪を問おうなどとは考えもしない。

だから、この二人は謝るどころか居直って、「改革」が足りなかったのだなどと叫んでいる。

女子プロレスに〝ビューティイ・ペア〟と呼ばれるコンビがいた。それをもじって言えば、

小泉と竹中は日本および日本経済をメチャクチャにした〝ギルティ・ペア〟、つまり重罪コンビである。

白を切りつづける竹中に代わって謝罪するように、竹中の兄貴分だった中谷巌が『資本主義はなぜ自壊したのか』（集英社インターナショナル）という「懺悔（ざんげ）の書」を出した。一橋大学教授として「経済戦略会議」の議長代理までした中谷は、まさに新自由主義の旗振り役だった。その中谷が「転向」したと聞いて、三菱ＵＦＪリサーチ＆コンサルティングの理事長室に中谷を訪ね、インタビューした。『週刊金曜日』二〇〇八年一二月一九日掲載のそれから、一部を引く。

「中谷さんの責任ではないですけど、弟分みたいな竹中平蔵が、小泉純一郎と郵政を民営化した。郵政民営化を私は郵政会社化と呼んでいます。萱野稔人という政治哲学者は〝郵政私物化〟と評していますが、〝郵政改革〟で地域の郵便局がなくなるなど過疎が進んでいますよね」

私がこう問いかけたのに中谷は次のように頷いた。

「コミュニティという考えが竹中氏にはないんです。私は、郵便貯金が道路建設に自動的に回るような財政投融資の仕組みに、くさびを打ち込んだことは高く評価しているんです。ただ、過疎地の郵便局がなくなっていいというのは間違いで、地域にぽつんとある郵便局との温かい交流を通じて生活を営んでいた人がたくさんいる。過疎地のお年寄りの心の拠り所を残す優しさがあっていいのではないか。

その人たちが不便になって、じゃあ国がどれだけ儲かったの、と。そんなの本当に微々たるものです。コミュニティの分断や、社会的な価値の毀損を考えない構造改革は、非常にまずいと思いますね」

そして中谷は、この二〇年ぐらいで日本の貧困率が急上昇した、と続けた。貧困率とは、所得を多い順から並べて真ん中ぐらいの人が稼いでいる年収の半分も稼げない人が全労働者の中に何%いるかを指す。日本は一九八五年に一二・五%だったが、二〇〇五年には二六・九%になった。現在はもっと高くなっているだろう。

二六・九%は欧米社会並みだが、欧州諸国は所得税や生活保護費の支給などで再分配し、貧困率を低くしている。所得再分配後の数字で比較すると、二〇〇五年のワースト一位(ワン)はアメリカで一七・一%、二位が日本で一四・九%である。北欧のデンマークやスウェーデンは五%ぐらいで、再分配を意図的に進めていることになる。

アメリカは「自己責任」とか言って再分配をほとんどやっておらず、日本はその後を追っているわけである。

そして、かつては市場主義の論理の美しさに魅了された中谷でさえ、こう言わざるをえなくなった。

「日本が他の欧米諸国や中国などと違うところは、階級意識がそれほど育たなかったことです。たとえば江戸時代は、庶民が文化や財政も切り盛りしていました。階級意識の薄さが日本が経済的にも成功した一つの要因だと思っています。それがこの二〇年間で崩れてきました。年収二〇〇万円以下の人が一〇〇〇万人を超えたわけです。それが正当化され、そんなの自己責任だよっていう話になりました」

中谷から見ると、竹中などの思考の道筋がよくわかるのではという私の問いかけに対する中谷の答はこうである。

「あらゆる規制を撤廃して市場の働きを完璧なものにすればパイ（分割できる利益・費用の総体）は最大になるというのがアメリカ経済学の論理です。民主主義だから、その民主主義的な再分配政策を選挙のときに選べばいいと。再分配を必要だと思う人が多ければ再分配できるでしょうと。

でも現実の社会はそんなもんじゃない。なぜかと言うと、すごく稼いだ人たちは、それだけ政治的な力を増やす。平等な投票による再分配なんてあり得ないんです。たとえばフリーターの人たちには発言力はほとんどないわけです。やはり金持ちはいろんな寄付をしたり、政治家と知り合いになったり、いろんな形で影響しているわけだから……」

つまり、竹中自身が政治家に近づき、遂には政治家となって言論を買い占めることになった。

小泉内閣で派遣を製造業にまで認め、それが現在〝派遣切り〟を生んでも、竹中が平然として責任がないような顔をしていられるのは、「言論買い占め」の残像が残っていることによる。

小泉のバカ人気の前には、小泉や竹中を批判する言論は、ほとんど登場の場を与えられなかったからである。

私は、個人の購買力を重視し、護憲の旗を掲げて、憲法九条と二五条を関連させて考える経済論の系譜として、城山三郎、内橋克人、そして私を挙げ、憲法なんか知らないよ、個人の購買力より会社の業績だと主張するバブル派の系譜として、長谷川慶太郎、堺屋太一、そして竹中平蔵の流れがあると指摘してきたが、とくに竹中はすべての事象を黒字赤字で考える非常に狭い（というよりセコイ）経済学を流行させ、公共という観念を殺してしまった。

小泉と竹中の「改革」の〝太鼓叩き〟をしてきた田原総一朗が、『週刊朝日』の二〇〇九年一月二日、九日合併号に「エッ」と驚くようなことを書いている。題して「自由を重視するあまりに置き忘れたもの」。

田原はそこで、一九九九年に派遣法が緩和され、二〇〇四年には一般製造業にも適用が認められたことで、派遣従業員は急増した、と書いている。そして、一〇〇年に一度という経済危機をきっかけに、自由とともに平等という価値を見直すべきではないか、と結んでいるのだが、経営者の自由を増大させて労働者の不自由をもたらした「改革」を進めたのは、田原がヒイキにしてきた小泉や竹中なのである。それを忘れたかのように、したり顔でこんなことを書くのは厚顔も甚だしいと言わなければならない。それとも、これは中谷巌と同じく、田原のザンゲの発言なのか。

田原の言動がくるくる変わることはよく知られているが、田原は一九八七年夏発行の『時代を歩く』（文藝春秋）で「横行する強者の論理」を嘆いている。

当時、田原は北海道のある町の町長から、国鉄（現ＪＲ）の分割民営化反対を言われた。それは過疎を進めると指摘した上で町長は田原にこう問いかけた。

「赤字路線、赤字路線と目の敵にするけど、それなら、一体警察は赤字ではないのですか。消防署は赤字ではないのですか」

そして、さらに続ける。

「警察が住民の安全、秩序を守るための存在ならば、国鉄だって私たちの生活、その安全を守るための機関です。警察、消防署、それと国鉄……、本質的に違いはないと思いますよ」

これに田原は強く頷いていたのだが、郵政の民営化ならぬ会社化には大賛成してしまった。かつて自分が書いたことを忘れるのか、それとも、長谷川慶太郎、堺屋太一、竹中平蔵のバブル派経済論になじんでしまったためか、すべてを黒字赤字で測る「わかりやすさ」にイカれてしまう。田原だけではないが、田原がその象徴だろう。

竹中に『竹中教授のみんなの経済学』（幻冬社）とかいう本があるが、私はその「みんな」の中に、少なくとも私は入れてくれるな、と言っている。

ところで、上杉隆著『小泉の勝利 メディアの敗北』（草思社）に呆れるようなことが書いてある。

二〇〇五年秋、いわゆる郵政選挙で、日本テレビに駆けつけた小泉純一郎は、キャスターの小栗泉が郵政民営化法案の冊子を掲げながら、

「小泉総理はもちろんお読みになっていると思いますが」

と水を向けた瞬間、

「そんなの全部読めるわけないじゃないか。だいたい政治家でそんなもん全部読んでる人なんていませんよ」

と言い捨てた。

あまりと言えばあまりな暴言だが、堂々としていたのでスタジオは静まりかえった後、他の党首も二の句が継げぬまま、次の話題に移ってしまったという。

これが〝目玉〟といわれた「郵政改革」の正体だった。そこにつけいって「郵政民営」ならぬ「郵政米営」を進めたのが竹中である。

アメリカの郵政は国営が基本なのに、なぜ、日本には民営を迫るのかを明かす一通の手紙を、参議院の特別委員会で暴露したのは民主党の櫻井充だった。

宛名は竹中平蔵で、差出人が国務副長官をしたロバート・ゼーリック。日付は二〇〇四年一〇月四日である。

〈――竹中さん、オメデトウございます。金融大臣としてよいお仕事をされた。それが新しい任務を招きました。この任務を小泉首相が貴方に託したことは、われわれにとって心強い。貴方に前と同様の決意とリーダーシップを期待します。

保険、銀行、速配業務において、競争条件を完全に平等にすることは、私たちにとって根本的に重要です。郵貯と簡保を、民間とイコールフィッティングにすること、すなわち民間と同様の税制、セーフティネットを業務化し、政府保証を廃止するよう望みます。ついては以下の点で貴方を後押し致します〉

『リベラルタイム』二〇〇五年一〇月号「竹中平蔵の研究」からの引用だが、以下箇条書きになっている。

〈①民営化の開始（〇七年）から、郵貯・簡保業務に（民間と同時に現行の）保険業法、銀行法を適用すること。

②競争条件の完全な平等が実現するまで、郵貯・簡保に新商品や商品の見直しは認めてはならないこと。

③新しい郵貯・簡保は相互扶助による利益を得てはならないこと。

④民営化の過程において、いかなる新たな特典も与えてはならないこと。

⑤その過程は常に透明なものにし、関係団体に意見を表明する機会を与え、これを決定要因とすること。

この問題について、今日まで私たちの政府が行なった対話を高く評価します。貴方がこの新たな挑戦に取りかかる時に、私が助けになるなら、遠慮なくおっしゃって下さい〉

この手紙は末尾にゼーリックの手書きで「Ｔａｋｅｎａｋａ―ｓａｎ」とあり、こう結ばれているという。

「貴方は立派な仕事をされた。困難な挑戦の中で進歩を実現された。新たな責務における達成と幸運を祈念致します、貴方と仕事をするのを楽しみにしております」

櫻井がこれを読み上げている間、議場には驚きの声が流れ、竹中は居心地悪そうに手で顔を撫でまわしていたとか。

私は、日本マクドナルドの創業者である藤田田に取り入って同社の未公開株を取得した竹中を〝マック・竹中〟と命名したが、〝ゼーリック・竹中〟の方がふさわしいかもしれない。この手紙は、竹中の周辺にいる人間から竹中のやっていることがあまりにひどいと、洩れたものだという。

郵政民営化は結局、郵政米営化、つまり、アメリカが営むことに帰着する。三四〇兆円の郵貯・簡保資金をアメリカによる日本買い占め資金にまわすことになるのである。

小泉はこれについて、櫻井に見当違いの答えを返した。

「外国の資金が入って来る。結構なことじゃないですか。私は外資歓迎論者です。櫻井さん、いい加減、島国根性は捨ててもらいたい」

もちろん、私は外資排撃論者ではない。櫻井もそうだろう。しかし、その意図が見え見えの郵政米営によって日本国民の生活が破壊されるのを看過することはできない。

国民に「安心」を与えるのが政府の役目であるはずなのに、小泉や竹中のやったことは、国民から安心を奪い、そして、「自己責任」を押しつけた。

私は小泉を一次方程式しか解けない男と批判してきた。アメリカ一辺倒で、アメリカと中国という二次方程式になると解けない。櫻井に対する小泉の答も小泉単純一郎の面目躍如で唖然とするばかりである。

ちなみに、小泉の後の安倍晋三は一次方程式も解けず、福田康夫に至っては、そもそも解く気がなかった。麻生太郎は「方程式」という字も読めないかもしれない。

アメリカ一辺倒、すなわち、ドルに命を預けるような経済でいいのかと私は警鐘を鳴らしてきた。今度の世界恐慌に小泉や竹中は無関係のような顔をしているが、それは〝盗っ人猛々しい〟と言いたくなるほどである。

前記の中谷巌とのインタビューで、私は彼にこう問いかけた。

「ドルは、ある意味で軍票（主に戦地・占領地で、軍が通貨に代えて発行する手形）だと思います。アメリカの場合も軍事力を背景にしているので、アメリカの力が衰えると同時にドルの効力がなくなるわけですよね」

中谷はこれに次のように答えた。

「その通りです。覇権国というのはそういうものです。アメリカが確固たる軍事国家で世界の覇権を握っているときは、世界の人はしょうがないとあきらめていたわけです。

だからアメリカと関係のない第三国同士の取引にもドルを使う。そうするとその分がいわゆる造幣益（シーニョレッジ）になります。つまり一〇〇ドル札を刷るのに印刷費は一ドルしか掛からないとする。差額は九九ドル。外国の人が便利だからって一〇〇ドルを持ってくれればアメリカは、造幣益として九九ドル儲かるわけです。

だからアメリカはなるべくドルを世界にばらまきたい。それが造幣益として溜まり、さらにアメリカの国力を支えることになるわけです。

ところが、アメリカはイラク戦争なんかで失敗して、世界のモラルリーダーとして疑念を持たれるようになった。そして今回のサブプライム問題でもモラルリーダーシップが問われる。どうもアメリカおかしいぞと。それが今回のクラッシュになり、そしてドルが対円で二〇%ぐらい暴落した。

アメリカは国際政治の面でも傷ついているし、経済の面でも修復におそらく三、四年かかる。公的資金投入とか、いろんなことでアメリカの財政赤字は相当増えるはずです。去年で四六〇〇億ドルぐらいだけど、たぶん一兆二〇〇〇億ドルとか、そのぐらいになると思います。これが三年、四年と続くと、ドル過剰になっちゃうんです。要するに輪転機が回され過ぎる。そうするとドルが実体経済に比べて多く供給され過ぎ、当然ドルの価値が将来下がるんじゃないかとみんな思い始めています」

多分、小泉はこうしたことがわからずに、アメリカ一辺倒を推し進めた。それに対して、竹中はドルが限りなく紙クズになっていくことがわかっていて、郵政米営などの「改革」を進めた。小泉を免責するつもりはもちろんないが、どちらが罪深いかは明らかだろう。

一九二九年の世界恐慌の原因をさぐって、アメリカでは一九三三年にグラス・スティーガル法が制定された。銀行が証券業務を兼営することを禁止したのである。しかし、のど もと過ぎれば熱さを忘れるで、それから六六年後の一九九九年にグラス・スティーガル法は廃止された。そして、九年後の二〇〇八年にリーマン・ブラザーズ証券の倒産に始まる世界経済危機がやってくる。

竹中が選挙の応援に行き、田原がいまなお熱い支持を送るホリエモンこと堀江貴文が、ニッポン放送の株を買い進んだ時の資金がリーマンから出たことも忘れてはなるまい。つまり、世界を荒れ狂うマッド・マネーの恐さを知らず、規制緩和バンザイ主義を日本に持ち込んだ竹中の罪は限りなく大きいということである。

私は一九二七年の昭和恐慌で最初に倒産した東京渡辺銀行のことを『失言恐慌』（角川文庫）に書いたが、あの恐慌ですべての銀行が潰れたわけではなく、逆に、三井、三菱、住友等のビッグ5には預金が集中して、それらの銀行は大きくなった。恐慌を僥倖とする者たちもいるのである。しかし、竹中は『みんなの経済学』とか言って、すべての者に恐慌は危険だという煙幕を張る。

そんな竹中を、理念などまったく持たない小泉が徹底的に使った。『小泉の勝利 メディアの敗北』（上杉隆著、草思社）で、小泉の指南役といわれた松野頼三がこう語る。

「歴代首相を見てきたけど、小泉ほど、選挙と人事が好きな政治家はいないよ。極端に言えば、あれはそれしか考えていない。本心では、政策や議会なんてどうでもいいと思っている節があるな（笑）」

「この程度の公約を守れなかったのは、大したことではない」とか、「自民党が小泉改革を潰そうと言うのなら、私が自民党をぶっ潰す」とか、有名になった小泉発言は多い。しかし、自民党は潰れていない。小泉にとって、さまざまな発言は方便に過ぎないことは、私自身が聞いた次の発言でも明らかである。

私が司会をして『週刊東洋経済』の一九九二年三月一四日号、二一日号、二八日号で「政治家と政治改革を斬る」という座談会をやった。出席者は、当時まだ自民党にいた田中秀征と武村正義、そして小泉である。その後まもなく、田中と武村は自民党を離れ、新党さきがけをつくる。

そこで小泉は、派閥とは何なのかという私の問いにこう答えた。

「自民党の派閥の存在価値は、選挙の一番の支援団体ということと、人事面での後ろ盾。この二つが同志的な結合以上の、現実の利害に関係する。選挙になると党よりも派閥が実際には頼りになる。人事のときも全面的に応援してくれる」

明確な派閥有用論である。そして、小選挙区反対論を展開する。

「もし小選挙になり、派閥がなくなったとしたら、権力者の総理とか幹事長の側近政治になるよ。吉田（茂）時代のように、総理の眼鏡にかなった者しか重用しない、総理ににらまれたらずっと冷や飯という側近政治になる。これに対し、（派閥は）抵抗勢力になって抑制できるという面もある」

こう言いながら小泉は、自分が「権力者」になるや、批判派に冷や飯も食わせず、党から放逐してしまった。すなわち、派閥を解消するどころか、すべてを「小泉派」にしたのである。理念のある政治家だったら、小選挙区制をやめて、中選挙区に戻すか、比例代表の多い制度に改めただろう。

イラクにおいて、どこが非戦闘地域かと問われて、「自衛隊が活動している所は非戦闘地域」と国民を愚弄する答弁をしたのと同じように、小泉は「他人がやるのは派閥活動で自分がやるのは非派閥活動」と思っているのかもしれない。

小泉のライバルである小沢一郎は『週刊現代』二〇〇四年年頭号の私との対談で、小泉について、こう言った。

「小泉さんは本来、政治に興味なんかないんです。もともと政治的な主張など、持っていない。彼は、総理の座を守るためには、アメリカに同調したほうがいいと思った。そして、それを実行した。それだけのことなんです」

「小泉純一郎の兵隊ごっこを叱る」と題したこの対談は『佐高信の丁々発止』（七つ森書館）に収録してあるが、私は、小沢は小泉と違って、意見は違っても議論ができると思った。しかし、小泉はそもそも議論しようとしない。他人の意見を聞くと、自分がブレると思っているらしいが、そんな男がこの国の首相になり、竹中平蔵を起用して、この国をぶっ壊してしまった。

キーパーソンの二人目は規制緩和のドン、オリックスの宮内義彦である。宮内は小池百合子の後援会長をしていたこともある。維新の橋下徹を加えてもいいが、宮内、小池、竹中、橋下は関西流のえげつなさを共有している同じ穴のムジナである。目先の利益に拘泥し、公共の利益を度外視する。

内橋克人の『もうひとつの日本は可能だ』（光文社）に衝撃的な厳しい指摘がある。

アメリカの「国策」とも密接なつながりをもったエネルギー産業のエンロンが信じられないような粉飾の末に破綻したことは記憶に新しいが、「その水先案内人がわが国で先頭切って規制緩和を叫び進めてきた《規制緩和の旗手》、『総合規制改革会議』座長・宮内義彦率いるオリックス」だというのである。

二〇〇〇年一月四日付のオリックスのプレス・リリースには「オリックス、電力事業に本格参入――米国エンロンの対日投資会社に出資」と題して、「この度の出資は、米国をはじめエネルギー事業が民営化された国々で次々と成功を収めているエンロンと組み、電力事業に本格的に参入するもの」と書いてあるとか。

そして内橋はこう糾弾する。

「政府行政組織の長として長い時間、規制緩和を正義のごとく追求してきた同氏が、その公的行為のもたらすであろう結果をビジネス・チャンスとして、自社の企業的利益の追求をも同時に図ろうとする。また、だれもそれを不思議としない。生涯を通じて『公私截然』を貫いた多くの企業人をみてきた私には容易に理解できないところです」

つまり、宮内は自らもバブルに踊り、そして、エンロン・バブルには踊らされた者だったということである。そのバブルの《戦犯》が小泉改革の《旗手》だというのだから、話にならない。

それにしても、道路公団民営化の猪瀬直樹と言い、バブルをあおった張本人の竹中と言い、小泉純一郎のまわりには宮内を含めてウサン臭いエセ改革論者が多すぎる。

NHKならぬMHKがキナ臭いとは、かなり前から言われてきた。Mが村上ファンドの村上世彰（よしあき）で、Hがホリエモン、そしてKは竹中平蔵の弟分だった木村剛（たけし）（日本振興銀行会長）である。木村の疑惑はさておき、渦中の村上のバックにはオリックスの宮内義彦がいるという話も、いわば公然の秘密として囁かれてきた。だから、Mは村上と宮内のダブルMということになる。

彼らはそろいもそろって他人のフンドシで稼ぐヤドカリ経営者だが、まさにハゲタカ・ファンドの村上を徹底的にかばっているのが宮内で、やはり宮内は村上と同種の人間なのだろう。こんな宮内が小泉純一郎や竹中が推進する「規制緩和」の旗振り役だった。

宮内との対談『勝つ経済』（PHP研究所）で田原は、「日本では体制というのが自民党で、共産党や社民党は反体制だという間違った認識があります。本当の反体制の代表は、たとえば宮内さんです」などと間違ったことを言っている。お追従なのかもしれないが、ホリエモンがプロ野球に新規参入しようとしたのを宮内が阻む前の対談とはいえ、何とも明後日（あさって）を向いた発言をしたものである。

ついでに引けば、「痛みを伴う」という言い方についての田原の次の言葉も、耳を覆いたいくらいにひどい。

「誰が痛い思いをするのか、という部分で国民に錯覚があります。痛みを伴うのは一般の国民ではありません。いま宮内さんがおっしゃったような既得権益を持っている人が、ある意味では痛みを伴うという話です。ほとんどの国民は既得権益など持っていないのですから、痛いことなど何もないはずです」

二〇〇二年のこの発言を、田原はいまも繰り返せるのだろうか。累進課税を緩和して、それこそ、既得権益を持った人たちを優遇した小泉「改革」の応援団だからとはいえ、宮内も田原も、格差について鈍感すぎる。それは、二人とも、既得権益を持ったか、持っている者のお友だちになったからだろう。

オリックスという会社を、私はオリエント・リースといったころから知っている。一九六四年の創業時、リース業などまったく知られていなくて、会社を訪れた人から「ここはソース会社なのに一本もソースがない。おかしな会社だ」と言われたりしたこともあった。また、社員旅行で旅館に着いたら、「歓迎オリエント・トリス様」という看板が出ていてガックリしたなどという話を聞かされたこともある。それなのに、ライブドアがプロ野球の球団を持とうとした時、オリックスの広報に電話をしたら「よくわからない会社だから」とライブドアを卑しめるようなことを言うので、ずいぶん尊大になったものだなと驚いた。会社の急成長と共に、宮内も増長し、勘違いするようになったのだろう。

その後、宮内は竹中と組んで、「かんぽの宿」の一括払い下げを画策することになる。

竹中をめぐるキーパーソンの三人目は菅義偉である。小泉から安倍晋三に首相が代わっても竹中が重用され続けたのは官房長官だった菅の存在が大きい。

竹中が小泉内閣の総務大臣だった時、菅は副大臣だった。政策など考えつくアタマもなく、カジノ等の利権だけには敏い菅は、だから、そうした部分はすべて竹中にオンブしている。菅のアタマは竹中に洗脳されているのである。安倍が退陣しても、菅が首相である限り、竹中ははびこり続けるだろう。

キーパーソンのプラス二人は、橋下徹と佐藤優。これらは竹中の応援団と言ってもいい。

「私の目には、橋下氏と、小泉元首相の姿が重なって見えます。どちらも原理原則を貫き、自分の言葉で国民に語りかけることができる政治家だからです」

竹中がこうエールを送ると、橋下は、

「竹中さんの考えにぼくは大賛成ですから、小泉元首相のときの竹中さんの考え方についてはいろいろと意見があることは承知していますけれども、基本的な価値観、哲学は、ぼくは竹中さんの考え方ですね」

と応じている。

橋下については、宮内に連なる小池百合子を擁護している発言も紹介しておこう。

例の「排除発言」で一挙に沈んでしまった希望の党騒ぎの時に、総選挙後に希望の党内で小池の責任を追及する声があがると、橋下はツイッターで、こう批判した。

「こんなことをやればやるほど希望は消滅に向かう。小池さんの看板がなければお前らのほとんどは落選してたんだよ！」

「一度頼ったんなら小池さんが失敗しても支えるのが普通だろ」


さて、五人目の竹中のヘンな応援団が作家と称する佐藤優である。

佐藤は、前掲の『市場と権力』が大宅賞を受賞したときの選考委員だった。それで『文藝春秋』の二〇一四年六月号に次のような選評を書いている。

「丹念な取材とテキストの読み込みによって竹中平蔵氏の半生について解明することを通じて新自由主義政策の日本への定着を解き明かす。この作品で描かれた竹中氏に対する評価に私は同意しないが佐々木氏が描く竹中氏も確かに成立すると思う。私の理解では、竹中氏は本質においてアナーキスティックなところがある優れた知識人で行動経済学者だ。受賞会見で佐々木氏から『竹中氏に取材を申し入れたが拒否された』という説明があった。そのような重要事項は作品に明示すべきと思う」

最後は難癖である。竹中は都合が悪いことにはコメントしない〝最低の知識人〟だ。弟分の木村剛が逮捕された時、逃げまわったことで、それはハッキリしている。知らないで佐藤がこう言っているのなら、あまりにお粗末である。

佐藤はこの件では醜い言いわけをしている。

佐藤が選考に関わっているのを知っているのに、「よくもこんな本に賞を出しやがって、もうお前とは会わない」などと怒ることもない。「やはり竹中さんは度量が広いし、国際基準からいっても彼はインテリなのである」と言うのだが、佐藤が創価学会の池田大作の代弁者となってしまったことに怒って会うことをやめた私への皮肉なのか。いや、竹中への忖度が先行しているから、私のことなど念頭になかっただろう。

竹中への評価の違いに唖然とするばかりである。

# 第一章 竹中平蔵をこそ証人喚問すべきである

私は元金融担当大臣の竹中平蔵をこそ証人喚問すべきだと思う。小泉純一郎元首相の下、偽りの「構造改革」を掲げて、日本をメチャクチャにしたからである。

しかも、それを恥じるどころか、『「改革」はどこへ行った？——民主党政権にチャンスはあるか』（東洋経済新報社）などという本を出して、さらに「改悪」を続けようとしている。

竹中を証人喚問すべきだと思う理由は主に三つある。

一つは木村剛を金融庁の顧問にし、彼が会長となった日本振興銀行が破綻したのに、その責任を問われてコメントを回避していること。

二つ目は、郵政「民営化」にからむ「かんぽの宿」のオリックスへの払い下げ問題。

そして、三つ目が〝逃税疑惑〟等の個人的な問題である。

竹中が金融庁顧問に抜擢した木村剛が会長だった日本振興銀行は遂に破綻し、日本初のペイオフを発動することになった。

日本振興銀行の認可が異例に早かったことで竹中の関与が噂されているが、二〇一〇年九月一三日付の『日刊ゲンダイ』は「木村剛よりもっと悪い竹中元金融相の大罪」という大見出しの記事を掲載し、「国会招致の動きも」と報じている。しかし竹中シンパの『朝日新聞』をはじめ、なぜか、大手メディアはその動きを追わない。

それをいいことにして竹中は木村剛を尋常ならざる形でバックアップした責任を問われながら、卑怯にも逃げまわっているのである。「その件についてはコメントしない」と各メディアに言っているらしいが、メディアはなぜ、小沢一郎を断罪するくらいの勢いで竹中に迫らないのか？

高杉良の実名小説『新青年社長（上・下）』（角川書店）を読んでいて、竹中が、介護を喰い物にしたコムスンの折口雅博を持ち上げていたことも思い出した。

折口はディスコなどで急成長したグッドウィル・グループのトップ。大体、臆面もなく〝グッドウィル（善意）〟を社名に掲げるところからして怪しいが、『週刊文春』の二〇〇七年六月二一日号によれば、安倍晋三と共に竹中はこれを礼讃したという。

『週刊ダイヤモンド』で折口と対談した竹中は、「浮き沈みの激しいディスコを一〇年持たせるというのは、たいへんなことだ」と軽く褒めてから、折口が規制を突破する新規参入を介護ビジネスで果たしている、と「手放しの評価」を下した。

「きっと氏は、ものごとを戦略的に考え、プランを立て、かつそれを瞬時に行なうことのできる、稀有な人なのだろう」

これが竹中が対談を終えての折口評である。

他にも、持ち上げて知らんぷりの人は多いと思うが、この折口から木村まで、竹中が下した「評価」のまちがいをメディアはもっと検証すべきなのではないか。

竹中については「〝逃税〟疑惑」というのもあった。それで私は大臣となった竹中に辞職を勧告した。口火を切ったのは『週刊ポスト』の二〇〇一年八月一七日・二四日合併号である。見出しは「竹中大臣は住民税を払っていない？　八年で四回の『米国移住』『住民票の移動』は節税対策か」。

これによれば竹中は周囲に、

「知ってる？　『一月一日』に日本にいなければ、住民税は請求されない、つまり、払わなくていいんだ。だから毎年暮れに住民票を海外に移動し、年を越してから戻ってくれば効果的かつ合法的な節税になるよ」

と語り、それを次のように実行していたという。

ハーバード大准教授時代の一九八九年七月に住民票を米国に移し、翌九〇年四月、慶大助教授になるや東京都港区に転居。以後、九六年に教授に昇格するまで毎年のように日米間で住民票を小刻みに移動した。

この件は、高杉良が『文藝春秋』で、私も『サンデー毎日』で糾弾したが、竹中はなぜか、高杉や私は訴えず、『週刊ポスト』と『フライデー』を名誉毀損で訴えた。

二〇〇二年八月一六日号の『フライデー』の見出しは「デヴィ夫人より悪質な税金逃れ」。

同誌はそこで、二〇〇一年一一月一三日の衆議院予算委員会で、民主党の上田清司議員が、

「アメリカで住民票が必要なことはありましたか」

と問いかけたのに、竹中が、

「アメリカには住民票というものはございません」

と答え、上田に、

「結局、いちいち移す必要はないということじゃないですか」

と決めつけられたと報じている。

これについての税法学の権威の日大名誉教授、北野弘久のコメントを引いておこう。

「竹中氏の場合は、故意に住民基本台帳の記録を抹消していた疑いがある。時効の問題を別とすれば、刑事犯として訴追を検討すべき事案といえます」

こんな竹中を重用した小泉はもちろん、盛んに登場させたメディアの責任も忘れてはいけないものだろう。

二〇〇九年の春に私は日本振興銀行の会長だった木村から、名誉毀損で訴えられた。

二〇〇九年三月八日のTBS「サンデーモーニング」で、私が、NHKならぬMHK（村上世彰、堀江貴文、そして木村剛）の中でKが捕まらなかったのは、当時、大臣だった竹中平蔵の弟分だったからだと発言したことが名誉毀損だというのである。

そして、『週刊金曜日』五月三日号で、読売新聞グループのドン、渡辺恒雄が私との対談で、次のように発言したことを引き、こう書いたことも誹謗中傷だというのだが、渡辺をも訴えるのでなければ辻棲が合うまい。

「渡辺は、当時は新自由主義が嫌いで、竹中（平蔵）チームの一員の木村剛が金融庁の顧問になった時、自分の経営する『ＫＦｉ』のホームページに『今度、私は金融庁の顧問になったので社長はやめるが、金融庁に顔が利くから、金融庁に不満があれば、私のところにどんどん言ってください』というようなことを書いていたのを非難し、それをプリントアウトしたモノを首相となった小泉（純一郎）に渡して、これを読めば木村はどういう男かわかるし、木村を引き込んだ竹中の人間もわかる、と言った。受け取った小泉は、総理大臣執務室でちゃんと読むと答えたので、渡辺は、こんなもの便所の中で読め、その程度の野郎だ、と怒ったとか。」

訴状には「根拠のないことを発言」とあるが、私は直（じか）に聞いた渡辺の発言を脚色してはいない。私との対談が載った『現代』の二〇〇六年三月号を見れば、それはすぐにわかるだろう。「便所の中で読む程度の野郎だ」というのは私もいささか品格に欠ける批評だとは思うが、渡辺の発言なのである。

大体、『朝日新聞』が二〇〇六年一月一日付の社会面トップで、「木村剛氏が会長」の「日本振興銀」が「親族会社に一億七千万円」を融資した疑惑を大々的に報じたことには抗議していない。

木村が卑劣なのは、私などより激しく木村の疑惑を暴露している『朝日新聞』や『週刊新潮』、そして『週刊東洋経済』等は訴えず、テレビは影響力が大きいとはいえ、狙い撃ちのように私を訴えたことである。これを言論弾圧といわずして何と言うか。

「金融庁は小泉・竹中の新自由主義の巣窟だった」という私の指摘に担当大臣の亀井静香は「それを転換させるのだ」と『週刊金曜日』二〇〇九年一〇月九日号で私に明言したが、その姿勢が口先だけでないかは、木村と日本振興銀行の疑惑を白日の下にさらすかどうかで測られると言わなければならなかった。

年代順にメディアが取り上げた疑惑を見出しだけ挙げてみる。

○『読売ウイークリー』二〇〇三年九月七日号「竹中ブレーン木村剛氏『新銀行』／拭えぬ『違和感』と火ダネ」

○『日経ビジネス』二〇〇四年一二月二〇日、二七日号「落合伸治氏／木村剛に銀行を奪われた」

○『週刊東洋経済』二〇〇五年五月二一日号「『木村剛銀行』で深まる疑惑／新株の二割超が木村氏と同氏関連企業に」

○同二〇〇五年六月一八日号「日本振興銀行で新たな不明朗融資／木村氏関連企業はVIP待遇／公約達成のための融資実績水増しも判明」

○同二〇〇五年七月二日号「木村剛氏を甘やかす金融庁／検査に入らず、ガバナンスの混乱を放置」

○『エコノミスト』二〇〇五年七月五日号「日本振興銀行『銀行法違反疑惑』を追う」

○『週刊東洋経済』二〇〇五年一〇月二二日号「行員までもが新株を購入／日本振興銀行〝苦肉の身内融資〟」

○『週刊ダイヤモンド』二〇〇五年一一月一二日号「振興銀行にやっと検査着手／問われる金融庁の〝厳格〟姿勢」

○『週刊東洋経済』二〇〇五年一二月一〇日号「日本振興銀行で異様な融資／〝お仲間〟企業を破格の優遇」

○『朝日新聞』二〇〇六年一月一日「木村剛氏が会長　日本振興銀行／親族会社に一億七千万円／内規変更、自行株担保に」

○同一月三〇日「日本振興銀／簡略審査で融資／木村会長親族会社に」

○同二月一五日「振興銀準備会社側、木村氏の会社へ／金融庁顧問時に一億円」

○『週刊東洋経済』二〇〇六年三月一八日号「日本振興銀行が顧客情報を横流し？　街（まち）

金顔負けのがめつい商法」
○『週刊ダイヤモンド』二〇〇六年六月一七日号「村上世彰容疑者も出資する日本振興銀行の気になる増資」

ざっと拾っただけでも、これだけ書かれている日本振興銀行と同行会長の木村剛が金融庁の厳しい追及を受けてこなかったのは、竹中大臣の下で木村が金融庁の顧問となっていたからだった。

同行と木村は小泉・竹中の主唱した新自由主義の荒野に咲いた徒花だとしか私には思えないが、竹中が木村問題で逃げまわるのを許すべきではない。

私はこれまで『サンデー毎日』の連載コラムなどで、厳しく竹中平蔵の罪を追及してきた。二〇〇九年には『小泉純一郎と竹中平蔵の罪』(毎日新聞社)という本も出している。しかし、鉄面皮にも居直りつづける竹中について、それ以前に書いたものも並べて、その罪の履歴書、つまり犯歴を明らかにし、証人喚問を実現させるべく働きかけることが必要だと考えた。そして、まとめて緊急出版するのがこの本である。

たとえばミサワホームの創業者、三澤千代治を陥れたこんな「一件」もある。

二〇〇六年三月六日の参議院予算委員会で、民主党の輿石東がこう質問した。

「この（産業再生機構の支援）基準ができるまでに、平成一六年の一一月一九日にミサワホームは中間決算短信というのを発表している。そこでは、業績予想として純利益百億を計上している。百億の利益が上がるんだという計上をしている。ところが、その一二月の七日、一八日たってですね。今度は決算短信の修正をしている。そこでは、百億という純利益を計上したのを五・五億に改めている。これも大変不思議な状況だと。一八日間で百億から五億五千万、こんな修正がまかり通るのか。どう考えてもどちらかがおかしい。こう思わざるを得ないわけです。この監査をしたのが中央青山監査法人というのです。これはいろいろ問題があるでしょう、カネボウの（粉飾決算）問題にも関わっていた」

どう考えてもおかしい白昼堂々のこんな「修正」は、ある意図があって行われた。つまり、何としてもミサワホームを産業再生機構に送り込むために無理矢理「資産圧縮や債務超過」を行ったということである。

輿石は具体的にその例を挙げる。

「これは東京都八王子市の分譲計画地ですが、一七万坪の土地がそのミサワホームに計上されていた時には五十億、それが最終的に、まあケネディ・ウィルソンという会社が最初買って、その後、新井総合施設とかという会社に渡っていったと。その会社が買ったのは二千五百万円だそうであります。そうすると、一七万坪で五十億円を割れば三万という数字が出てきて、坪三万、これを二千五百万にやっていくとたったの百五十円。一坪百五十円で三万円だったものを売ってしまったというようなことが行われたようにも見える」

なぜ、こんなことをしなければならなかったのか。ミサワホームを欲しかったトヨタが、当時の担当大臣の竹中平蔵を介在させて企んだのだと、ミサワホームの創業者、三澤千代治は考え、さまざまな証拠を突きつけて竹中を訴えた。竹中がトヨタの会長で経団連会長の奥田碩（ひろし）に頼んで三澤を説得しようとしたことについては、『サンデー毎日』二〇〇五年三月二七日号の「政経外科」で触れたが、同年八月二三日に三澤は東京地検に竹中を公務員職権乱用罪で告訴したのである。それが二〇〇六年の三月一日に受理されて、捜査はスタートした。

それで三澤のところに出版社系の週刊誌二誌、新聞社系の週刊誌一誌、そして、リベラルな伝統をもつ週刊の経済誌が取材に来た。

ところが、蓋を開けてみたら、出たのは一誌だけだった。それが『週刊朝日』三月二四日号の「ミサワホームを奪われた三澤千代治が語る『竹中平蔵の職権乱用罪』」である。後の三誌からは経過の報告もないと三澤は憤慨していた。スポンサーのトヨタが恐かったのか、小泉首相御寵愛の竹中に遠慮したのか。いずれにしても不甲斐ない話である。

だから、竹中は増長する。奥石が竹中に、奥田と会うよう三澤に電話したでしょうと尋

ねると、竹中は、

「いろんな情報があって、情報の真贋（しんがん）を御確認の上いろんな御質問をしておられると思いますが、御質問が、私が三澤さんに電話をしたかどうかということでありましたら、そういう事実は全くございません。このことは明確に申し上げておきます」

と答えている。

同じく民主党の永田寿康（ひさやす）が引っかかった「偽メール」とは違うのである。社会的信用もある三澤がはっきりと顔を出して主張していることなのだから、民主党ももっと腰を入れて竹中を追及すべきだろう。

ここで、前掲の奥田碩への私の手紙形式のコラムを引用しておこう。

拝啓　奥田碩様

利益日本一のトヨタ自動車のトップであり、日本経団連会長でもあるあなたに公開質問状を出そうと思ったのは、「武器輸出禁止の緩和」など、あまりに目先のソロバンだけで、財界総理としての理念めいたものがまったく感じられないことに怒りを通りこして呆れているからです。

先日、ミサワホームの創業者の三澤千代治さんと会いましたが、〝強奪〟ともいうべきミサワホーム乗っ取りの画策もひどいですね。

まず、それに大臣の竹中平蔵氏を介在させていることに驚きます。竹中氏が持ちかけたのか、あなたが竹中氏に頼んだのかはわかりませんが、二〇〇四年二月に三澤さんは竹中氏から直接電話を受けてあなたと会うようにと言われたそうですね。しかも、自分が出席すると職務権限に触れる恐れがあるので二人で話し合って下さいと念を押したとか。

しかし、会談をセットすること自体が十分に権限に触れるでしょう。竹中氏がそんなこともわからないようないいかげんな大臣だということはかなり明らかになってきていますが、そんな話に乗る、あるいは、そんな話を進めるあなたは民の立場をどう理解しているのですか。

いくら、ミサワがほしいとはいえ、官に頼んでまで強奪を成功させようというのは、官に対抗する民間企業の団体の総理として失格でしょう。あなたは産業再生機構を巻き込んでまで、その野望を遂げようとしていますが、いつから民の立場を捨てたのですか。

先の選挙で竹中氏の参謀的役割を果たしたのは旧大蔵省（現財務省）からトヨタ入りした岸本周平氏でした。岸本氏を私は〝ノーパンしゃぶしゃぶスキャンダル〟で大蔵省をやめた人としてしか知りませんが、トヨタはこうした人の面倒をよく見ているわけですね。

三澤さんの話でなるほどと思ったのは、トヨタは文化を知らないから住宅はつくれないという指摘でした。

竹中氏がセットした対談でズバリとそう言った三澤さんにあなたは不快感を露（あらわ）にしたようですが、世界における自動車事故の死者とトヨタの販売シェアを見れば、トヨタは一万一〇〇〇人の死に責任があると三澤さんは突っ込んだのですね。

日本の道路はすべて時速一〇〇キロが限度なのに、どうしてそれ以上のスピードを出せる車をつくるのか。そこに行政、つまり官との癒着があるのではないかという三澤さんの疑問はもっともでしょう。仮にそれを許すとしても、スピードリミッターというものがあり、たとえば一〇〇キロ以上出ないようにすることは可能であり、実際、良心的な大手運送会社では一台四〇万円もの費用をかけて取り付けているそうですね。

もし、トヨタがそれをつけたら、かなりの数の命が助かることになるのではないか。また、障害物を暗闇で見つけるとブレーキがかかる障害物センサーもやはり一台につき四〇万円の費用がかかりますが、それもつければ事故は大幅に減るでしょう。

ただし、そうすると、トヨタの誇る一兆円の利益はふっとびます。

しかし、三澤さんの言うように、トヨタが本当に人命を大切にするのなら、利益がふっとんでもそれをすべきなのではありませんか。

残念ながら、いまのままでは、トヨタの一兆円の利益は一万一〇〇〇人の命の犠牲の上に積み上げられたもので、トヨタは一人死亡して一億円、一〇〇人死亡して一〇〇億円もうかる会社だという三澤さんの強烈な主張が不思議な説得力をもって私の耳には届いてしまいます。

竹中はシラを切っているが、三澤は竹中を刑事告訴した。それにからむ『夕刊フジ』への手紙を続けて引用する。

拝啓　「夕刊フジ」様

『夕刊フジ』は私にとって「実と虚のドラマ――経済小説のモデルたち」でデビューさせてもらった新聞で、とりわけ愛着が深いのですが、九月六日付の一面は、ライバル紙の『日刊ゲンダイ』と比較して、甚だ残念なものでした。

見出しには大きく、「三沢千代治ミサワホーム（元仕長）竹中（平蔵）を刑事告訴」とあります。「特捜部捜査検討」と続くのですが、『夕刊フジ』には、「竹中と親密関係」にあり、ミサワの買収を画策した「大手企業」の名が書かれていません。

三澤千代治氏は、この「大手企業幹部」と氏の会談を設定する「口利き」を竹中氏が行なったことを公務員職権乱用罪で訴えたのに、その大手企業がどこかわからないのです。

まさに、隔靴掻痒とはこのことでしょう。

一方、『日刊ゲンダイ』はどうか。

トップ記事ではありませんが、かなり大きな見出しで、竹中が刑事告訴されたことを報じ、「現職の大臣が刑事告訴されるのは前代未聞のこと」として、こう解説しています。

「ミサワホームは昨年一二月二八日、産業再生機構入りし、〇五年三月三一日、トヨタがスポンサーになることが決定している。再生機構を経由したこの〝売却劇〟に、竹中大臣が違法に関わっていた疑いがあるというのだ」

これで、『夕刊フジ』が書かなかった（もしくは書けなかった）「大手企業」がトヨタであることがわかりました。

業績不振の「トヨタホーム」を抱えるトヨタは、プレハブ住宅のトップメーカーだった「ミサワホーム」の買収を以前から望んでいた、と『日刊ゲンダイ』の記事は続きますが、それによって、竹中氏が仲介して、三澤氏とトヨタの奥田碩会長が経団連で会い、奥田氏が持ちかけたミサワホームの買収を三澤氏が拒否したことが判明します。

その後、奥田会長は「ミサワホームは産業再生機構に行けばいい」とか、「産業再生機構活用が前提」とかいった発言を繰り返し、結局、ミサワホームは再生機構送りになってしまいました。

これについては私もこの欄で取り上げましたが、『夕刊フジ』がトヨタを「大手企業」としか書かなかったのは、まさに画竜点睛を欠くものでしょう。

それほどに広告スポンサーとしてのトヨタの力は強大になったということかもしれませんが、『夕刊フジ』のために私は残念でなりません。

同紙では、次のトヨタの横暴も批判できないでしょうね。私はいま、沖縄にいるのですが、七日付の『琉球新報』に「トヨタ　自民支援を本格化」という記事が載っています。「経営トップら集会へ続々」と続くのですが、それによると、トヨタ本社のある愛知県豊田市で開かれた自民党候補の集会に、張富士夫副会長が駆けつけ、応援に来た小泉首相に先立って「小泉改革は成果を上げている」と声を張りあげたというのです。その後開かれた別の演説会場には渡辺捷昭社長も出席したとか。

「かつてトヨタは政治とは一線を画す主義とされた。だが今回は、経済財政諮問会議のメンバーとして小泉改革を後押ししてきた奥田会長が自民党支持を公言」とありますが、これは明らかに、かつて問題となった「企業ぐるみ選挙」ではありませんか。

血迷った首相に血迷ったトヨタという感じですが、『夕刊フジ』ははっきりと名前を出して、これらを批判して下さい。

その後も私は竹中の責任を追及しつづけてきた。

最近も『朝日』の広告局が企画して同紙に竹中インタビューが四回も掲載されたことに触れ、それは竹中が作家の幸田真音との対論『ニッポン経済の「ここ」が危ない!』（文藝春秋）で、金利規制は天下の悪法と武富士などが大喜びするような議論を展開しているからか、と皮肉った。『朝日』は武富士のワンマン、武井保雄が盗聴疑惑で公判中も武富士の大きな広告を載せつづけたからである。

木村が日本振興銀行の会長を退き、逮捕される前、木村は私への訴訟を取り下げた。

同行の社長にはその後、作家の江上剛がなり、ペイオフの発動をするわけだが、江上や前記の幸田真音も欠かせない〝竹中組〟の一員である。竹中と共に偽りの「改革」を煽った責任は問われなければならない。

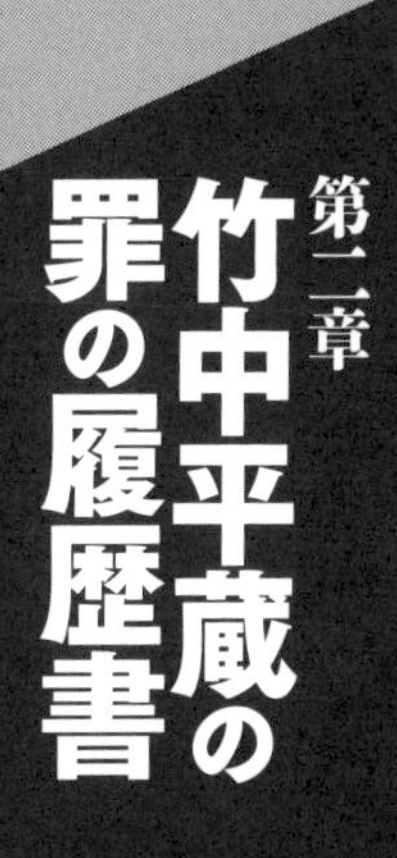

# 第二章 竹中平蔵の罪の履歴書

# 五通の詰問状

## 竹中平蔵氏への詰問状

### ▼得た果実と「痛み」との大きな落差

拝啓　竹中平蔵様

政治評論家の早坂茂三さんが、あなたを「お台場の超高層マンションに海が見える部屋三つを持ってる慶応のボンボン大臣」とヤユしていますが、「ボンボン大臣」の特徴は、自分は痛みを負わず、他人には痛みを要求するということでしょうね。それで国民は痛みを引き受ける気持ちになるでしょうか。

マンション以上に私がおかしいと思うのは、日本マクドナルドの未公開株です。まもなく上場によって急騰するといわれるこの株をあなたは同社のインサイドに入り込んで取得したわけですね。

私は藤田田社長と、あるシンポジウムで同席したことがあります。彼は、マクドナルドのハンバーガーを多くの日本人が食べるようになれば日本人の思考も変わるなどと言っていました。それで私は、痛風も増えているのではないかと皮肉ったのですが、同社をあなたは二〇〇〇年春のＮＨＫ教育テレビ番組で、半額バーガーを売り出したこの会社はさらに伸びるだろうと言われている、と持ち上げたそうですね。

当時、あなたは同社傘下のフジタ未来経営研究所の理事長でした。政商ならぬ学商（学問を商売にする人）のあなたに、学者としての節操などは求めません。ただ、次の事実は知っていたかということだけは尋ねたいと思います。

いまはなくなってしまった日本長期信用銀行傘下のシンクタンク、長銀総研に入り、子会社のコンサルティング会社、長銀総研コンサルティングに出向していた研究員が、ある時、長銀総研から降格、減給処分を言い渡されました。

主任研究員で課長待遇だった彼は日刊工業新聞社から刊行された外食産業に関する本で、日本マクドナルドの成長は止まった、と書いたのです。これが藤田社長の知るところとなり、長銀の幹部に抗議の手紙が来ました。

あわてた長銀総研の上司と長銀総研コンサルティングの社長は、この研究員を叱りつけ、彼を同道して日刊工業新聞社を訪ねました。そして、その本の即時絶版と回収を要求したのです。

日刊工業新聞側は、回収には応じられないと突っぱねましたが、著者であるこの研究員の意向で、初版のみで絶版とし、在庫分は長銀総研が買い取ることになりました。

そして長銀総研は書店の店頭に残っているこの本の自主回収を、全国の長銀行員を使ってやったのです。

それだけでなく、この研究員は上司から始末書を書くよう強要され、不本意ながら、それを書くと、降格と減給という処分を受けたのです。そして遂には退社に追い込まれるのですが、あなたと比べて何という違いでしょうか。

もちろん、この例の場合、藤田社長が直接、彼を処分させたわけではありません。

しかし、持ち上げて懐に入り、未公開株を取得したあなたと、「成長は止まった」と書いただけで、職を失った研究員とでは、あまりに違うと思うのです。

管理職ユニオンに相談に行って、処分撤回を求めた研究員は、団体交渉の過程で、上司から、こいつのために大変な損害が出た、と罵倒されています。

あなたは、あるいは研究の結果、マクドナルドをほめたのだと言うかもしれません。それにしては、それによって得た果実は大き過ぎるのではありませんか。少なくとも「痛み」からは程遠いでしょう。


（二〇〇一年八月）

## 再び竹中平蔵氏への詰問状

### ▼「特等席の経済学」を語って下さい

再び　竹中平蔵様

宮沢喜一氏からゼネコンの石川六郎氏まで九人の罪状を告発した拙著『経済戦犯』（徳間書店）の「はじめに」で私は一〇人目にあなたを挙げなければならないかもしれないと書きました。個人消費を拡大させることを景気対策の基本とせず、平気で消費税をいずれは一四％になどと主張しているからです。あなたの経済学はやはり、自分は痛みを負わずに他人にはそれを押しつける〝特等席の経済学〟なのですね。

私はあなたに〝マック竹中〟というニックネームを進呈したいと思います。言うまでもなく、日本マクドナルドを持ち上げ、その功で取得した同社の未公開株の上場によっていわゆる〝濡れ手に粟〟の利益を得たからです。二〇〇一年七月二七日付の『毎日新聞』には、四七〇〇円の初値をつけたことで、あなたは七〇五万円の資産を得たと書いてありますね。

中谷巌氏とあなたの共著『ＩＴパワー――日本経済・主役の交替』（ＰＨＰ研究所）で、あなたは同社の藤田田社長をほめ、「マクドナルドのポスシステムは日本からアメリカへの逆輸入」だと言っています。そして、日本マクドナルドでは藤田社長の言葉は「神の声」であり、社員全員が藤田さんの指示に向かって動いていくと指摘しているのですが、これがあなたの考えるリーダーシップなのですか。そのすぐ後であなたは首相当時の中曽根康弘氏の強力なリーダーシップもたたえています。「神の声」などと言われると、私は薄気味悪さしか感じませんが、あなたはいま、小泉首相の言葉を「神の声」とでもしているのでしょうか。

いずれにせよ、私は自分がほめた企業なら、なおさら、邪推されないように、未公開株等の〝対価〟を受け取ったりはしません。しかし、あなたの〝美学〟はずいぶん違うようですね。マック竹中、もしくはマック平蔵と呼ばれても平気なほど、あなたは同社と深い結びつきを保っているのでしょう。

社民党代議士の保坂展人（のぶと）さんが、先日、あなたの未公開株取得問題で質問主意書を出しました。それに対する答弁書が政府から来たわけですが、あなたはもっときちんと答える必要があるのではありませんか。一応、雑な答弁を引けば、こうです。

〈政府としては、御指摘のいわゆるリクルート事件に関連し、「官庁綱紀の粛正について」（昭和六十三年十二月十六日閣議決定）を定めるとともに、これに併せて内閣官房長官が通知した

「官庁綱紀の粛正について」（昭和六十三年閣内審第百十七号）において、右の閣議決定の趣旨の徹底等を図るに際して、関係業者等に係る「未公開株式の譲り受け」等の行為について特に留意することとしたところである。また、「国務大臣、副大臣及び大臣政務官規範」（平成十三年一月六日閣議決定。以下「大臣等規範」という）においては、国務大臣は「未公開株を譲り受けること」は行ってはならないとしているところである。

竹中平蔵経済財政政策担当大臣も、大臣等規範に従うものと承知している。

国務大臣の就任以前の株式の取得については、私人の立場における行為であり、お答えすることは差し控えたい〉

そして、あなたがこれについて、「適切に対処するものと承知している」と続けているのですが、国民に痛みを要求する前に、この問題について、あなた自身の口から、適切な対処法とやらを明快に語ってもらいたいと思います。

（二〇〇一年八月）

# 竹中平蔵氏への三度目の詰問状

## ▼企業の表面しか見ていない

三度び　竹中平蔵様

日立製作所、東芝、松下電器、そしてNECと、あなたが太鼓を叩いたIT関連企業が軒並み大リストラ策を発表していますが、どんな感想をお持ちでしょうか。

わずか一年余り前の昨年春に出た中谷巌さんとの共著『ITパワー――日本経済・主役の交替』（PHP研究所）の「あとがき」で、あなたはこう言っています。

「グローバリゼーションとIT革命に対応できないようなトップは、もう交代してもらうしかない。問題の先送りしか考えないような企業や組織は、淘汰されるしかないのだ。健全な危機感を持って挑戦すれば、大きなチャンスが目の前にある。はらはら、ドキドキ、わくわく、の時代がやってきた」

私はこれを読んで、あのバブルの時代に長谷川慶太郎氏が「財テクをしない経営者は化石人間だ」と煽ったのを思い出しました。彼は、バブル崩壊後は、そんなこと言ったかなというような無責任な態度で知らんぷりを決めこんでいますが、わずか一年後の「IT不況」を予想できなかったあなたは〝第二の長谷川慶太郎〟であり、やはり、この大事な時の政策責任者のポストは交代してもらうしかないのではないでしょうか。売り込み上手で、自分から退くことなど少しも考えていない〝マック竹中〟（マクドナルトの未公開株を濡れ手に粟で得たあなたに、私は前便でこのニックネームを進呈しました。一部には受けて、少しずつ広まっているようです）のことですから、毛頭、そんなことは考えていないでしょうが、あなたがいかに現実を知らずにノーテンキなことを言っているか、具体的に教えてあげましょう。

日立、東芝、松下、ＮＥＣと、多分便乗リストラも含んでいるであろう各社がショッキングなそれを発表した時、私は「なるほど」と思いました。あなたは知らないでしょうが、これらの企業はいずれも、私が批判しつづけてきた〝みそぎ研修〟なるものを熱心にやってきたのです。みそぎ研修とは、戦前から修養団が行っているもので、伊勢神宮を流れる五十鈴川に、フンドシ一つで入らせる研修です。夏の暑い時だけでなく、早朝とか深夜に肩まで水に漬からせるこの研修をやらせている修養団の講師は「バカになって物事に挑むきっかけをつかませる」と解説しています。

要するに「バカをつくる」と言っているわけで、こんなことをマジメにやらせている企業に創造性などあるはずがありません。

ズラリと並んだこの企業名に、私はバカな研修をやらせている共通性を発見して「なるほど」と思ったのです。企業の表面しか見ていないあなたは、こんなことはまったく知らないのでしょうね。失礼な質問をすれば、ＩＴをもてはやして、これらの企業からは、マクドナルドのような未公開株ならぬ公開株取得の便宜を図ってもらっていないのでしょうか。この中の一社、東芝は労組と一緒になって二〇〇一年、定年切り下げ等を発表し、それに反対する人たちが抗議のハンストをやりました。その人たちのニュースによると、『週刊朝日』は二〇〇一年二月九日号で東芝を「六〇歳『再雇用』先進企業」として紹介し、定年延長者の選別はしない、と実態と違う記事を書いたというのです。

電話をかけると、記者は、人事部にアンケートしたらそう答えてきたのでそのまま記事にしたとのことだったそうですが、あなたはこの記者と同じですね。それで、失業率はどうだとか言われてはたまらない、という気がします。

（二〇〇一年九月）

## 竹中平蔵氏への第四の詰問状

### ▼〝逃税〟疑惑と名誉毀損訴訟について

拝啓　竹中平蔵様

何度目かのお便りになります。

今日は竹中さんが『フライデー』や『週刊ポスト』を名誉毀損で訴えていると知ってペンをとりました。

私もこの欄で、あなたが住民票を何度も移した〝逃税〟疑惑は野村サッチーがマネしたかったものではないかと書いたのですが、お目にとまらなかったのでしょうか。作家の高杉良さんも『文藝春秋』や『現代』であなたを激しく批判していますが、こちらは名誉毀損にはならないということですか。

あるいは、あなたは『フライデー』が二〇〇二年八月一六日号で、「デヴィ夫人より悪質な税金逃れ」と報じたその見出しが気に入らなかったのでしょうか。同誌はそこで、二〇〇一年一一月一三日の衆議院予算委員会で、民主党の上田清司議員が、

「アメリカで住民票が必要なことはありましたか」

と問いかけたのに、あなたが、

「アメリカには住民票というものはございません」

と答えたと伝えています。

それで、上田氏が、

「結局、いちいち移す必要はないということじゃないですか」

と結論づけていますが、その通りでしょう。

これについて、税法学の権威の北野弘久日大名誉教授が次のようにコメントしています。

「竹中氏の場合は、故意に住民基本台帳の記録を抹消していた疑いがある。時効の問題を別とすれば、刑事犯として訴追を検討すべき事案といえます」

要するに「訴追」されるかもしれないと思って、あわてて逆に訴えたということですか。

私が知る限り、国会で最も激越にこの問題を攻撃したのは、民主党副代表の石井一氏です。訴えるなら、まず真っ先に石井氏を訴えなければならないのではないですか。石井氏は恐いから『フライデー』などに鉾先を向けたように私には見えます。

『フライデー』への訴状によれば、損害賠償額は一億円とか。それほどに大した名誉をお持ちならば、疑われるような行為はしないのが、ほんとうの意味でのジェントルマンなのではありませんか。

私はあなたを大臣にふさわしくない「せこい人間」と評しました。日本マクドナルドをほめて未公開株を入手し、私に〝マック竹中〟という綽名をもらったことを含めて、とても他人に「痛みを負え」という資格のない人間と思ったからです。

小泉首相は「信なくば立たず」をモットーとしているようですが、私はあなたに一片の「信」も抱くことはできません。

逃税疑惑を知った人は誰でもそう思うでしょう。厳しい問題であればあるほど、その政策担当者には「信」が要求されます。それが決定的に欠けているのですから、あなたは「立つ」べきではありません。

小泉首相は、「信なくば立たず」に最も反する人を留任させ、さらには金融担当相も兼任させてしまったのでした。

藤沢市から住民票を移して事実上課税できないようにしたことに対し、北野弘久さんは、藤沢市は「みなし住民」として職権で課税すべきだったと主張してます。

いろいろな知識を〝活用〟して、結果的に税を免れたあなたと、知らずして捕まってしまった野村サッチーとを私は比較せずにはいられません。「知は力なり」と誰かが言っていますが、読者はこのどちらを、より悪質と判断するでしょうか。

（二〇〇二年一二月）

## 竹中平蔵氏への第五の詰問状

### ▼あなたのことを新自由主義というのが不思議です

拝啓　竹中平蔵様

ようやく「小泉（純一郎）・竹中改革」なるものは改革とは似て非なるものだったことが、隠しようもなく明らかになってきましたが、あなたはそんなことは知らぬ気に相変わらず高額の講演料を取って「改革を止めるな」などと言っているらしいですね。その鉄面皮さには呆れてしまいます。

経済評論家を名乗っていますが、私は経済はよくわかりません、しかし、少なくとも竹中某よりはわかっていますと講演などで言うと、拍手が起こります。あなたのニセモノぶりは、もう知れているのですよ。

城山三郎さんは高杉良さんとの対談で、小泉首相は期待はずれだったとし、高杉さんが、「一つは竹中平蔵さんを経済財政と金融の担当大臣にしたことの失敗が大きい。なぜ竹中さんなのか不思議なんですが、あの人はよく口が回るから、小泉さんは吸い込まれちゃったんでしょうか」

と問いかけると、

「どうしてああなったんだろうね。僕は以前から経済学を勉強しているけど、しばらく前までは竹中さんという名前は聞いたことなかった」

と答えています。それで、

「城山さんも知らないいんだから、一流の経済学者じゃないいんですよ。グローバルスタンダードというか、アメリカンスタンダードを学んできた人ですから、利益至上主義やハイリスク・ハイリターンが好きなんでしょう。そんな人に振り回されている。ハードランディングなんていうやり方は、世界でも日本が先進国で初めてですからね」

と高杉さんは応じ、城山さんが次のように断じました。

「ソフトランディングという言葉はあっても、経済学にはハードランディングなんていう言葉はありません。いかにしてソフトランディングするか、いかにしてビルトイン・スタビライザー（自動安定化機能）を考えるとか、そういう安定を確保するかを考えるのが経済学なのに、それが全然なくて潰すことばっかり考えている」

城山さんのこの批判はご存じでしたか？　私は学者やメディアが、あなたのことを新自由主義などというのが不思議でなりません。競争のための前提を規制緩和（実態は安全緩和）とか称して取っ払うのは、ジャングルの白由に戻す旧自由主義に他ならないでしょう。

いまの日本には、「御用学者」と「無用学者」しかいないと喝破したのは、私の兄貴分の奥村宏さんですが、あなたは御用学者にして無用学者ですね。

椎名悦三郎さんの秘書などをやり、歴代自民党政権の黒衣だった福本邦雄さんが『表舞台 裏舞台』（講談社）という回顧録で、大平政権から中曽根政権に売られた佐藤誠三郎、香山健一・公文俊平らのブレーンによる政治について、こう言っています。

「（ブレーン政治は）今だって、あるじゃないですか。衣を替えて……。経済学者が入るけれど、一流の経済学者が入るわけがないんだ。本当に研究に打ち込んでいれば、政治家を相手にして、出来るか出来ないか分からないことで、安い飯なんか食っていられないと思いますよ。相手にふさわしい連中が出て来る。私には、それが実感だね。これは、どうしても書いておかなければいけない。これは、リクルートと絡んだんだ。それで、審議会制度というものが、代議士の国会での審議権を剥奪する。それが目的なんだ」

三流経済学者の竹中さんはどう思いますか？

（二〇〇七年一二月）

## 罪の履歴書

### 〝政商〟ならぬ〝学商〟の群れ

アサヒビール名誉会長の樋口廣太郎を長とする「経済戦略会議」というのがあった。いまもあるのかもしれないが、「無戦略」をさらけだして久しいから過去形にする。慶大教授の竹中平蔵はその有力メンバーだった。同じ慶大教授の中条潮(うしお)や、『経済界』のウサン臭さを見抜けずに自宅の庭でゴルフの練習をする姿をグラビアに撮らせた中谷巌まで含めて、竹中らは〝政商〟ならぬ〝学商〟と言うべきだろう。経済についての知恵はないが、自らを時の権力に売り込む商才だけはある。

中谷は『機会不平等』(文藝春秋)を書いた斎藤貴男に、『経済界』のグラビアに出たことは後悔している、と言ったらしいが、小渕恵三や森喜朗を利用しているつもりで、逆に彼らに利用されている中谷や竹中に共通するのは、気の毒なくらいに現実について無知なことである。

『竹中教授のみんなの経済学』(幻冬舎)は「株式会社はだれのものか」から始まる。そして、

「株主による経営のチェック機能」を働かせることを説いているのだが、このノンキなセンセイは、現実の日本の会社の株主総会の実態に触れずにリソウを並べる。おそらく、ドロドロしたそれをまったく知らないのだろう。

たとえば一九七六年、ロッキード事件が発覚した年の全日空の株主総会で議長をつとめた当時の社長、若狭得治を助ける発言をしたのは、のちに第一勧銀事件で有名になる総会屋の小池隆一だった。若き小池は親分の上森子鉄(かみもりこてつ)の名代としてこう言った。

「正直に申し上げて、当社はシロである、株主として信じている、信頼しているというと嘘になる。明日にでも若狭社長あるいは渡辺副社長が逮捕されるのではないかという不安な気持ちを抑えることはできない。だからといって、現在、警察・検察庁や国会で真相を究明中であり、いずれ白黒がはっきりするものを、この席でただいたずらに追及することがはたして当社百年の大計にプラスになるかどうかよく考える必要があるのではないか」

ここで盛大な拍手が起こり、小池は「もしご意見があるなら後ほどということで」と〝別室〟を提案し、若狭らは決算案の承認可決に持ち込んだ。

私は、藤岡信勝らの「自由主義史観」を同じように「いたずらな責任追及はやめろ」という意味で「総会屋史観」だと名づけているが、竹中らをそうした人間と同類と見なすことができるかもしれない。若狭は田中角栄とつながる元運輸次官であり、白らの保身のために小池らを飼っていた。そんな明々白々の政官財の癒着も見抜けずに、「機会があれば政権にも参加してみたい」と語る竹中は、若狭や田中に飼育されていた小池のお仲間である。

大体、「みんなの経済学」などあるのか。不良大蔵省と不良自民党をバックに不良債権をつくりだした不良銀行の不良頭取たちと私を一緒にして「みんな」と言われてはたまらない。それは藤岡や西尾幹二が、同じ日本人なのにと言うのと同じ詐欺であり、だましのテクニックである。

（二〇〇一年六月）

## 自分だけがトクをする無法経済学

竹中平蔵を斬ってきた。まさか大臣になるとは思わなくて取り上げたのだが、この男、考えていることは扇千景と同じ程度らしい。難しげに経済を語っているように見せて、実は、自分自身の経済しか頭の中にない。それは、藤田田が社長の日本マクドナルド傘下の「フジタ未来経営研究所」の理事長となり、同社の未公開株を受け取っていたことで明らかになった。入閣に際して竹中は理事長を辞め、大臣在任中は株取引はしないと言っているが、あのリクルート事件では、同じくリクルート・コスモスの未公開株を取得していただけの牛尾治朗が経済同友会の役職を退き、東大教授の公文俊平は外国に逃れることになった。読売や毎日の幹部もそれで辞任に追い込まれている。

竹中は株取引を勧めているが、こうしたインサイダーまがいの手法でそれを取得することが許されると思っているのか。多分これが問題にならないのは、小泉内閣のバカ人気のためでしかないだろう。竹中は、「みんなの経済学」などと言っているが、実は「自分だけがトクをする無法経済学」を説いているのだということが、これでバクロされた。この「特権経済学」を、同じようにそれを得たい我利我利亡者が支持している。竹中は経済について知ったかぶりをする前に、橋本龍太郎の父親の龍伍（元厚相）がつねづね言っていた次の言葉を繰り返し頭に叩き込むべきだろう。

「国家公務員にせよ、政治家にせよ、株は持つべきではない。公務員も、政治家も、一般の者が手に入れることのできない情報にしょっちゅう接する。その人間が株を持ってはいけない。もし知っている情報を使わなかったと言いはっても、あらぬ誤解を受ける」

政府の審議会の委員などをやって、準公務員的立場にあった竹中は、しかし、橋本龍伍のような厳しさはまったく持っていない。ただただ、トッチャン坊やのような頭で上場すれば値上がり確実な未公開株を手に入れたのである。

竹中と同じくノーテンキ極まりないのが扇千景。『FOCUS』が二〇〇一年六月六日号でスッパ抜いたところによれば、五月某日、扇は三鷹のある集合住宅にやって来て、それをほめまくったという。これは「セボン」という不動産会社が販売した「タウンハウス」で、商談中の一般客に対して扇は、「ここは金融公庫からもお金が出るし、心配ないですね」とアドバイスまでしてくれたとか。そう思いたくないとはいえ、扇は業界を監督すべき国土交通大臣なのである。

「信じがたい暴挙です。なぜ、これほどこの業者に肩入れするのか。大臣は株価をあおろうとしているようにしか思えない。公開前の株をもっているんじゃないか、と疑われても仕方がないようなケースです」

ある証券マンはこう批判しているが、これはそのまま竹中に対しても通ずる。それに対して扇は「いいものをいいと言って何がいけないの」と開き直っている。結局、竹中と扇のオツムの程度は同じということである。

（二〇〇一年八月）

## 竹中流経済学は他人に傷みを負わせる

珍しく少しは話のわかる某大手銀行の元頭取が皮肉たっぷりに、

「銀行が病気になって、もう治らないかもしれないという時に、この医者に看取られて亡くなるならいいやという場合があるんだけれども……」

と言っていた。

もちろん私は銀行の頭取たちを免罪する気はまったくないが、彼らも、竹中平蔵に殺されるのでは、死んでも死にきれないという思いはあるだろう。

そんな竹中のクビを切るどころか、金融相も兼任させて権限を大きくした小泉純一郎のアホさ加減には呆れてものも言えない。このバカな意固地首相のクビも早く切らなければ、日本経済は浮かばれないということである。

竹中は臨床経験のない素人医者で、たとえば盲腸の患者がやってくると、肝臓をとってしまったりする。そんな感じのヤブ医者なのだ。それほどトンチンカンなくせに、ヘンな自信だけはもっているところが小泉と似ていて、気に入られたのだろう。

電通のクリエイターだった佐藤雅彦が竹中に尋ねる形の『経済ってそういうことだった

のか会議』（日本経済新聞社）は、小学生だった佐藤が牛乳瓶のフタを集め始め、それが流行してフタに価値が生まれる話からスタートする。ところが、ある日、牛乳屋の親戚だった少年が大量にフタを持ってきて、途端に価値は急落する。

それを竹中は「つまり、牛乳瓶のフタに対する信用が失われてしまうんです。信用が失われた貨幣は、その瞬間、その価値を失って、ゴミになってしまうんですね」と説明する。ミゴトな自分自身についての説明である。竹中の政策らしきものもクルクルクルクル変わっているから、あるのかないのかわからないが、もし仮にあるとしても、一番大事な竹中自身に対する信用が失われてしまったから、彼はもうゴミにすぎないのである。貨幣と同じく、もしくはそれ以上に政策担当者には信用が大事なのだ。信頼できない医者では、治る病気も治らなくなってしまう。

竹中の信用性を失わせた点は、政策や解説の一貫性のなさのほかに二つある。

一つは、八年で四回も住民票をアメリカに移して住民税（地方税）を払わなかった逃税疑惑である。これについては高杉良が『文藝春秋』の二〇〇二年の五月号で厳しく批判していたが、私も『サンデー毎日』などで、これでは野村サッチー以下ではないか、と指弾した。自分は痛みを負わず、他人には痛みを負わせるというのが竹中流経済学らしい。多分、竹中が不人気な森（喜朗）内閣の閣僚だったら、これだけでクビがとんでいただろう。その上、日本マクドナルドから未公開株を、竹中に言わせれば「適正な価格」で譲渡された問題がある。以来、私は竹中を〝マック竹中〟と呼んでいるが、こんな竹中が大臣を続けていられるのも、バカ人気の小泉内閣だからである。マック竹中と共に日本経済はいよいよ臨終の時を迎えるのだろうか。

（二〇〇二年七月）

## 〝逃税〟の達人・竹中平蔵大臣に辞職を勧告する

斎藤貴男著『人間破壊列島』(太陽企画出版)を読んで、サッチーこと野村沙知代の脱税と、〝マック竹中〟こと竹中平蔵経済財政担当相のいわば〝逃税〟とはどう違うのか、と思った。

『機会不平等』(文藝春秋)でも竹中を厳しく批判した斎藤は、前掲書に『週刊ポスト』二〇〇一年八月一七日・二四日合併号の次の記事を引く。見出しは「竹中大臣は住民税を払っていない? 八年で四回の『米国移住』『住民票の移動』は節税対策か」。

この記事によれば竹中は周囲に、

「知ってる? 『一月一日』に日本にいなければ、住民税は請求されない、つまり、払わなくていいんだ。だから毎年暮れに住民票を海外に移動し、年を越してから戻ってくれば効果的かつ合法的な節税になるよ」

と語り、それを次のように実行していたという。

〈(竹中大臣は)ハーバード大準教授時代の八九年七月に住民票を米国に移動し、翌九〇年四月、慶応大学総合政策学部助教授に就くと東京・港区に転居した。以後、九六年に教授に昇格するまで毎年のように住民票を日米間で小刻みに移した〉

〈■九二年七月（↑米国）■九四年六月（↓神奈川県藤沢市）■同年一〇月（↑米国）■九五年五月（↓藤沢市）■同年一一月（↑米国）■九六年三月（↓藤沢市）

――という具合に、慶大助教授になってからは、九三年、九四年、九五年、九六年の四年間にわたって、「一月一日」は判で押したように米国に居住していることになっているのである。もちろん、この間、竹中氏はずっと慶応大学助教授の職にあった〉

アメリカは事実上の国民総背番号制度である社会保障番号の仕組みを国民管理の基本としているので、在米生活を長く続けている人も、年に何度も往復する人も、日本人が住民票を移動しなければならない必然性はない、と斎藤は指摘する。

ちなみに、『ポスト』の記事は、税法学の大家に、竹中の大がかりな脱税の可能性を語らせていたとか。

そして、編集部の取材に竹中は、住民票移動の事実関係を認め、所得税は日本、住民税はアメリカに納めていたと説明したという。

もちろん、大臣になった竹中に、税務当局が改めてこの問題を追及することはないだろう。

明暗の分かれたサッチーとマックの二人を並べると、白昼堂々のサッチーの方が、なぜか、気の毒に見えてくる。サッチーは竹中のようなやり方があることを知らなかったに違いない。

税金を逃れたい、もしくは節税したいという意欲においては同じでも、竹中は狡猾であり、サッチーは狡猾ではなかったが故に捕まった。

竹中は斎藤に、ある時、

「小国ならともかく、日本のように人口の多い経済大国では、背番号は当然なんですよ。これがなければ所得の捕捉ができない。ナラリーマンは年末調整まで勤務先が行うので公平に課税できますが、自営業者の中にはフリーライダー（ただ乗り）が少なくありませんからね」

と語ったという。

私は国民総背番号制に絶対反対だが、仮にそれが実施されても、竹中のような人間は〝所得の捕捉〟を免れ、〝逃税〟を続けるのではないか。私から見れば姑息極まりない住民票の頻繁な移動という手段を使ってまで、税金を安くという人間に、大臣になどなってもらいたくはない。一刻も早い辞職を勧告する。

（二〇〇二年一月）

## 〝居直り平蔵〟という呼称も贈ろう

「政府広報番組」というのがある。NHKなどすべてそうだとも言えるが、りそな（銀行）に二兆円もの公的資金の私的投入を決めた日の「ニュース10」がとくにひどかった。何と金融担当大臣の竹中を出演させてその宣伝をさせたのである。

小泉内閣が、郵便局にはきついが、銀行には甘いことは知る人ぞ知る事実で、小泉の側用人の竹中ももちろんそれに従ってやってきた。それについての反省は微塵もなく、「銀行の再生だ」とは厚かましい。先日もアメリカのリンゼー前大統領補佐官に「叩かれるのは改革進展の証拠」と持ち上げられて喜んでいたが、どちらを向いての「改革」なのかは、これではっきりした。

山形の農民は口先だけの男を〝ベロ屋〟という。ベロとは方言で舌のことだが、舌先三寸で世を渡る竹中にピッタリの言葉だろう。

竹中は『あしたの経済学――改革は必ず日本を再生させる』（幻冬舎）で「よその国に借金をしている国の格付けは高くて、国内で借金をまかなっている日本の格付けが低いのはおかしくないか」という問いに、「日本政府が財政赤字を垂れ流しにして、このままだと財政が破綻するという状況認識が格付け機関にあるとすれば、格付けを引き下げられてもしかたがありません」などと答えている。しかし、これは問いかけに答えていないだけでなく、故意に問いをはぐらかしていると言わなければならない。

つまり、竹中は日本が政府、民間（銀行や生損保）合わせて三〇〇兆円に及ぶアメリカ国債を買っている事実に触れたくないのである。「よその国に借金している国」とは端的に言えばアメリカを指す。その国の国債が、その国の国債の三割近くを買っている日本の国債より高いのはおかしくないかと尋ねられているのに、竹中は明らかに逃げている。それは、小泉純一郎と同じく竹中がアメリカ盲従の人だからであり。もっと言えば、アメリカの手先、エージェントだからである。

現在の新生銀行は、旧日本長期信用銀行の不良償権を五兆円もの税金を使ってキレイにし、それを一〇億円で外資に売りとばすことによって誕生した。りそなが同じ道をたどらないと竹中は言えるのか。いや、竹中は、それでなぜ悪いかと居直るに違いない。私はマクドナルドの未公開株を譲渡された竹中に〝マック竹中〟というニックネームを進呈したが、〝居直り平蔵〟という呼称も贈ろう。

竹中はＮＨＫの「課外授業」で同郷の松下幸之助のことを話し、後輩の小学生に、「君たちも松下幸之助さんになろう」と呼びかけたらしい。しかし、松下電器グループはオウム真理教顔負けのマインドコントロールをすることで有名である。朝会で幸之助のつくった社訓を唱和させ、社歌を斉唱させる。いわば〝松下真理教〟の教徒ならぬ狂徒を輩出させるのだが、民主党で有事法制を推進した前原某も松下政経塾の出身者としてその一人であり、竹中と同じく疑問なき狂徒の顔つきをしている。

（二〇〇三年七月）

## とどまることなき無責任さと図々しさ

〈本日一九時から森タワー四九階アカデミーヒルズにて金融・経済財政政策担当大臣竹中平蔵氏の講演がございます。森ビル社員のみなさまは、無料で聴講いただけますので、ぜひご来場ください〉

ある日、森ビル社員に秘書室からこんなメールが送信されたという。森ビルとは、言うまでもなく、最低限の安全装置さえはずして六歳の男の子を回転扉で死なせてしまったアノ会社である。小泉純一郎も出席して華々しくオープンした「六本木ヒルズ」を手がけた会社だが、社長の森稔(みのる)が、たとえば竹中大臣によって、きびしくその経営責任を問われたという話は聞かない。自分が講演に呼ばれてしゃべっているのだから、咎められるはずもないだろう。まして、小泉や森喜朗と森稔が親しいとあっては、持ち上げこそすれ、問い質すことなど、考えもすまい。なかなかにシャープだと思っているスポーツ・ジャーナリストの二宮清純が、竹中の弟分の木村剛をほめていて、やはり専門外のことはわからないのだなと鼻白んだが、竹中も木村も、改革者などではまったくない。小泉改革がニセモノであるように、その小間使いの竹中も木村も食わせ者である。大体、竹中は〝ITバブル〟

をはやしたてた張本人だし、金融庁の担当大臣として、銀行に改革を迫る資格などないのである。

竹中は、森ビルのようないかがわしい企業の肩を持ってきた責任はまったくとっていない。

もちろん私は、銀行のトップを糾弾するなと言うのではない。むしろ私はその先頭に立ってきたつもりだし、竹中など逆に銀行擁護の論を唱えていたこともあった。銀行にしてみれば、共犯者というか仲間が、いつのまにか岡っ引きになっているという気持ちだろう。竹中はこれまでもいくつかのワラジを持ち、そのときどきで都合よくそれを履きかえてきた。

北洋銀行前会長の武井正直は、バブルの時に頭取だったが、断固としてバブルに乗っかった融資をやらせなかった稀有(けう)な経営者である。その武井に、大蔵省銀行局(現金融庁)のアホ官僚たちは、もっと融資をふやせ、と何度も言ったという。それを口をぬぐって、いま、UFJ等の銀行のトップの責任を追及する。いくら役人は無責任なものだとはいえ、あまりに厚かましいではないか。竹中も同罪で、そんな竹中を参議院議員にしようというのだから自民党も無責任を看板に掲げたということだろう。

竹中の無責任さ、図々しさはそれにとどまらない。『週刊ポスト』が最初に書き、次に私や作家の高杉良が指弾した〝逃税〟疑惑がある。一月一日に日本にいなければ住民税を払う必要がないなどという知識を悪用して何度も住民票を移し、払うべきものを払っていなかったという疑惑である。だから私は、これでは脱税で捕まったサッチーこと野村沙知代以下ではないか、と批判した。

また、竹中は、これからはハンバーガーの時代などと言って、日本マクドナルド社長の藤田田に取り入り、フジタ未来経営研究所の理事長におさまった上に、同社の未公開株を竹中に言わせれば「適正な価格で」受け取った。その後、同社は株式を公開し、かなり高い株価となったので、売ればその差益が竹中のふところに入る。これが大問題となったのがリクルート事件だが、竹中は同じようなことをやっているわけである。だから私は彼に、おまえのことはこれから〝マック竹中〟と呼ぶと宣言した。そんな竹中が大臣を続けることさえ御免こうむりたいのに、国会議員にもなってしまうのか。ユーウツな選挙への突入である。

（二〇〇四年一〇月）

## 中立・公正という幻想

二〇〇四年六月二八日の選挙演説で、竹中平蔵は、

「この三年間で気付いたのは、この日本には人の悪口だけ言い、人の批判だけして飯を食っている人間がたくさんいるということだ」

と吠えたらしい。

竹中から見れば、私も「人の批判だけして飯をくっている人間」の一人かもしれないが、竹中というスピッツは逆に「人を持ち上げて飯を食っている人間」である。俗にこれをヨイショ屋という。いや、竹中の場合は番犬にもならぬ〝ヨイショ犬〟である。

これからはITの時代だなどと言ってITバブルをもたらしたと思ったら、一方では、ハンバーガーの日本マクドナルドを持ち上げ、創業社長の藤田田のお気に入り（ペットともいう）となって、フジタ未来経営研究所とかの理事長におさまった。そして、同社の未公開株を「適正な価格で」（本人談）受け取り、その後上場したので、売れば、かなりの額が彼のフトコロに入る。さすがに鉄面皮の竹中も、いまは売ってはいない。しかし、これだけでも、いかにこのヨイショ犬が「人を持ち上げて飯を食っている人間」であるかわかる

だろう。

それで私は、以来、彼を〝マック竹中〟と呼んでいる。そんな、いわゆる御用学者ばかりを相手にしている自民党は、批判的な学者が出てくると狼狽してしまうようで、二〇〇四年六月二六日、報道機関に次のような〝記念すべき〟文書を送った。

「1　最近、一部テレビにおいて、政治的公平・公正を強く疑われる番組放送がありました。すなわち、『年金の鉄人』と称して高山憲之・一橋大学教授を数回にわたって番組に出演させて、年金法に反対する立場から意見を述べさせる番組です。
2　高山教授は、民主党推薦で参考人や公述人として幾度となく国会で年金等について意見を述べられてきた方であり、民主党の年金法案の作成に深く関与したと言われている方です。しかるに番組では、民主党推薦の参考人などを務めた重要な経歴については一切触れることなく、ただ『大学教授』との肩書きだけを紹介して、高い学識経験を有する専門家が客観的な意見を述べられているという体裁で番組製作が行われました。
3　わが党としては、選挙期間中でもあり、多様な意見を番組に反映していただくなど、公平な放送が行われることを強く望んでおります」
竹中平蔵のような「自民党推薦」の〝ヨイショ犬〟を出演させれば、「政治的公平・公正」が保たれるというのか。それにしても、〝大政党〟の自民党がせせこましくなったものである。コンビを組む公明党に助けてもらわなければ独り歩きもできなくなって、どこからでも批判せよと、ドーンと構えている余裕をなくしてしまったのだろう。

それに関連して選挙についてのメディアの対応で、私にとって忘れられない〝事件〟がある。かつて大阪府知事選挙で事前にコメントを求められ、『朝日新聞』と『毎日新聞』にそれを出した。ところが、『朝日』が載せられなくなったと言ってきたのである。私が候補者の一人の推薦者となっているかららしい。『毎日』はそのまま載せたのに、私は釈然としなかった。別にそのコメントで私がその候補を推しているわけではない。もし、『朝日』の〝ルール〟が一般的となれば、どの候補にも肩入れしていないような、どちらかと言えば〝無色〟の識者しか登場させられないことになる。あくまでも、そのコメントの適否を判断するのは読者なのであり、「中立・公正」の名で〝色〟を排除してはならないだろう。

無色というのは果たしてあるのか。メディアが「中立」幻想に囚われてそれを追求していったら、蒸留水のような〝おいしくないもの〟になってしまうのではないか。

（二〇〇四年八月）

## 「郵政米営」を押しつけた小泉・竹中

小泉純一郎は国民に〝無理心中解散〟を仕掛けた。国民は参議院の否決によって、郵政法案にノーと言ったのである。それを「反対派」と名づけ、衆議院を解散して、やみくもに自分の意思を国民に押しつけようとしている。

「官から民へ」と聞き飽きたスローガンを小泉はただただ絶叫する。しかし、どういう「民」なのか。

先日のテレビ番組では、私は「官から民へ」という割には、とくに〝刺客〟候補に官僚が目立つではないかと皮肉った。

たとえば静岡の片山さつき、山梨の長崎幸太郎はいずれも、官僚の中の横綱の財務省出身者である。

小泉は郵政改革は「改革の本丸」とかいうが、官僚の横綱の財務官僚が喜んで候補者となるような改革が改革なのか。

「官から民へ」が本物なら、とくに財務官僚が顔をしかめて小泉に叛旗をひるがえすような改革でなければならないのではないか。

大蔵（現財務）族として育ち、アタマが大蔵アタマとなっている小泉は彼らが困るようなことは何ひとつやっていない。むしろ、彼らがほくそえむようなことばかりやっているのである。

おそらく小泉は自分で考えて「改革者」となったと錯覚しているだろう。しかし、そうではない。

小泉と親しかった田中秀征がこんなことを言っていた。

小泉に財務官僚が何か話す。すると小泉は、

「オッ、オレと同じ考えだ」

と言う。

そこで田中はニヤッと笑って話を終えたのだが、それほどに財務官僚に操られているということだろう。しかも、始末の悪いことに小泉はそれを自覚していない。

小泉以上にタチの悪いのが竹中平蔵である。小泉があまり深く考えない標語人間であるのをいいことに、自分は外資との関係を強めていった。

郵政民営化は結局、郵政米営化、つまりアメリカが営むことに帰着する。三四〇兆円の郵貯・簡保資金をアメリカによる日本買い占め資金にまわすことになるのである。

それは、日本長期信用銀行が五兆円の税金を使ってキレイにされ、一〇億円でアメリカ

の投資会社リップルウッドに売り渡された例が実証している。現在の新生銀行だが、手数料不要というこの銀行のCMを見るたびに私は腹を立て、テレビの画面に向かって怒りをぶつけている。小泉はこれについて、「郵政米営」の実態を指摘した民主党の櫻井充に、見当違いの答えを返したという。

「外国の資金が入って来る。結構なことじゃないですか。私は外資歓迎論者です。櫻井さん、いい加減、島国根性は捨ててもらいたい」

もちろん、私は外資排撃論者ではない。櫻井もそうだろう。しかし、その意図が見え見えの郵政米営によって破壊されるのは日本の国民の生活なのである。

国民に「安心」を与えるのが政府の役目なのに、小泉や竹中のやっていることは、国民から安心を奪い、そして、「自己責任」を押しつけることである。

小泉は一次方程式しか解けない男だと私は批判してきた。アメリカ一辺倒でアメリカと中国という二次方程式になると解けない。櫻井に対する小泉の答えも小泉単純一郎の面目躍如で唖然とするばかりである。

選挙戦の最中に、小選挙区制の弊害を身にしみて思うが、「政治改革」の名でこれが強行された時、反対した政治家や私たちは「守旧派」のレッテルを貼られた。小泉も加藤紘一らと共に小選挙区制に反対していたはずだが、反対派にも理ありという態度を彼は取らず、刺客を放ってまで、それをつぶそうとした。

一時、ニュージーランドが民営化の手本のように言われ、政治家もニュージーランド詣でをした。しかし、ニュージーランドは郵政を民営化して外資に乗っ取られ、あわてて郵貯を国営に戻している。そうしたニュージーランドの失敗を、マスコミはほとんど報道しなかった。小泉カイカクに浮かれていたのだろう。

（二〇〇五年一〇月）

# 第三章
# 懲りない竹中平蔵

## 強欲な、サラ金の手先

「百の説法屁一つ」という。どんなエラそうに御託を並べても、屁一発ですべてが御破算になり、ペラペラしゃべっている人間の下品さがわかるということだが、小泉純一郎と竹中平蔵にこそ、この格言がぴったりと当てはまる。

小泉は自らの選挙地盤を息子に譲ったことによって、竹中は自らが推進した規制緩和で大きくなった人材派遣会社のパソナの会長に〝天下った〟ことによって、彼らの主張する「改革」が、自分たちの既得権益ならぬ新規権益を確保するためのものであることが明らかになった。

竹中は『「改革」はどこへ行った?――民主党政権にチャンスはあるか』（東洋経済新報社）などという愚書で、「改革を実施すると、必ず既得権益を奪われて、困る人たちが出てきます」とモットモらしいことを言っているが、そんなセリフは「年俸一億円」とかいわれる〝新規権益〟のパソナ会長の椅子を放棄してから言え、と怒鳴りつけたい。

竹中の強欲ぶりについては、二〇〇九年九月八日付の『東京新聞』も「こちら特報部」で「究極の天下り」と批判し、私もコメントを求められたので、こう言った。

竹中は日本マクドナルドの創業者藤田田(でん)に取り入り、同社の未公開株を、彼に言わせれば「適切な価格」で購入したが、それを捉えて〃マック竹中〃というニックネームを進呈した私は今度は〃パソナ平蔵〃になったと皮肉り、次のように断罪したのである。

「郵政民営化に影響力を行使した後、かんぽの宿の一括譲渡を実施させようとしたオリックスの宮内義彦会長と同じ。自分が関ったところで自分が利益を得るという構図は、まるで政商ならぬ学商だ」

明治大学教授の高木勝の指摘も鋭い。

「自分が政治で関った分野の企業に招かれても、普通は受けない。しかも特別顧問ならまだしも、会長という企業経営のトップになるというのは大いに疑問。法律違反ではないとしても、道義的責任があるはずだ」

慶大教授の月給では足りないのか、竹中は講演活動にも精を出しているが、消費者金融、つまりサラ金の経営者の集まりでも講演し、彼らの喜びそうなことを言っている。たとえば、二〇〇九年春の日本消費者金融協会東日本支部の総会である。竹中の講演料は一回一〇〇万円ともいわれるが、この時はどのぐらいもらったのか、グレーゾーン金利を禁止した貸金業法改正を批判した上で、唖然とするような提案をした。

「一部の国会議員が暴走し、一部の弁護士がそれに悪乗りし、マスコミがそれを吹聴して、あおるような形で間違った規制がされてしまった」

その結果、銀行が消費者金融に融資しなくなったから、運用先に困っている郵便貯金のカネをそちらにまわせというのである。どこまでサラ金の手先となればいいのか。

竹中は前記の駄本で（こんな本を出すとは東洋経済新報社も堕ちたもの。大先輩の石橋湛山が泣いているだろう）、「新自由主義の時代は終わった」とか「新自由主義は誤った」などという評論家は一切信用しないことにしている、とミエを切っている。内橋克人や私は信用しないということだろうが、作家の城山三郎も明確に竹中を批判していたし、高杉良も厳しく断罪しているのだから、城山や高杉も竹中は「信用しない」ということになる。

サラ金業者からカネをもらって講演したり、日本マクドナルドの未公開株を買ったり、さらにはパソナの会長になって一億円もフトコロに入れる竹中と、「渇しても盗泉の水は飲まず」といった感じの清冽な生き方を貫いた城山三郎のどちらに信用があると、この卑しい軽薄才子は思っているのか。

## 『竹中平蔵こそ証人喚問を』を出版しました

前略　竹中平蔵殿

あるいは既に承知かもしれませんが、今度、『竹中平蔵こそ証人喚問を』（七つ森書館）を出しました。

・自らが旗を振って規制緩和した人材派遣業界の大手、パソナの会長になる（年俸一億円とか）一方で、自分が金融庁の顧問に抜擢した木村剛氏が日本振興銀行の会長になって、その金融庁の検査を妨害したことによって逮捕された件について、一切ノーコメントと言っているあなたに多大の疑問を感じたからです。

二〇一〇年一一月二一日付の『朝日新聞』一面トップに、「かんぽの宿」の評価額が不適正鑑定で大幅に減額されたのではないかという記事が出ていましたが、読まれましたか？

日本郵政グループが「かんぽの宿」を安く売るために、経営改革の努力を見込まず、「赤字」と断定して、積算価格から最大九五％も減額していたと報じています。

結局、御破算となりましたが、「かんぽの宿」は、あなたと小泉（純一郎）〝改革〟仲間の宮内義彦氏がトップのオリックス系の不動産会社が一括購入する予定でした。

また、売る側の日本郵政の当時のトップは、あなたが総務大臣として、かなり強引にその椅子に座らせた西川善文元住友銀行頭取だったのです。

これが問題になったころの総務大臣、鳩山邦夫氏は、なぜ不況時に売るのか、なぜ一括売却なのか、なぜオリックスなのか、と疑義を呈しましたが、不当に安く鑑定されていたということになると、さらに疑惑は膨らんでしまいますね。

鳴り物入りの郵政〝民営〟化を私は郵政〝会社〟化だと言ってきました。民営化すなわちプライバタイゼーションは公共のものを誰かの所有物にする私物化だと喝破した論者もいましたが、当時のキーマンのあなたには新たに証言する義務が生じたと言わなければなりません。

その件についてはコメントしないなどと逃げまわってすむ問題ではないでしょう。

私は、あなたが日本マクドナルドの社長だった藤田田氏がつくった「フジタ未来経営研究所」の理事長になり、日本マクドナルドの未公開株を、あなたに言わせれば「適正な価格」で入手した時、〝マック竹中〟という綽名（あだな）を進呈しました。その後、パソナの会長になったので、〝パソナ平蔵〟というニックネームも献上したのですが、後者については、二〇一〇年の九月八日付の『東京新聞』で明治大学教授の高木勝さんが、次のように指弾していますね。

「自分が政治で関わった分野の企業に招かれても、普通は受けない。しかも特別顧問ならまだしも、会長という企業経営のトップになるというのは大いに疑問。法律違反ではないとしても、道義的責任があるはずだ」

今度、改めてあなたの事件歴を追っていて驚いたのは、介護を喰い物にして批判されたコムスンの折口雅博氏まで、あなたが持ち上げていることでした。『週刊文春』の二〇〇七年六月二一日号によれば、ある経済誌で折口氏と対談したあなたは、折口氏が規制を突破する新規参入を介護ビジネスで果たしていると「手放しの評価」を下し、「きっと氏は、ものごとを戦略的に考え、プランを立て、かつそれを瞬時に行なうことのできる、稀有な人なのだろう」と礼讃したとか。

少なくとも、あなたはこの折口氏や木村剛氏を持ち上げた尻ぬぐいはしなければならないでしょう。「証人喚問」を求めるゆえんです。

## 竹中平蔵と「郵政民営化」について

岩見隆夫著『政治家』（毎日新聞社）に、二〇〇五年二月二六日付『毎日新聞』の岩見のコラム「近聞遠見」が収録されている。そこで岩見は、小泉純一郎と竹中平蔵が強引に推し進めた「郵政民営化」に徹底抗戦した綿貫民輔の『月刊日本』三月号のインタビューを引く。

「あたかも首相公選で選ばれた大統領のように、小泉首相は大きな勘違いをしている。非民主的で目に余る」

小泉にこう憤懣をぶつけた綿貫は竹中をも次のように断罪する。

「竹中民営化担当相は、副総理にでもなったつもりで官邸を取り仕切っている。自分たちで決めたことを押しつける。相談しようという発想ではなく、それほど反対するなら聞いてやろうじゃないか、つまり〝ガス抜き〟のレベルだ。まさに独裁者の手法……」

竹中が何度も綿貫に面会を申し入れたのに綿貫は信頼できないと断り、調整役だった与謝野馨（当時の自民党政調会長）には、

「竹中大臣にだまされるなよ」

とクギを刺したという。現在に引きつけて言えば、菅直人は民主党にいながら郵政民営化ならぬ郵政〝会社化〟には賛成だった。私が菅を「愛嬌のない小泉純一郎」と命名するゆえんだが、そんな菅が与謝野を一本釣りして政権を維持しようとする背景が透けて見える話である。

ともあれ、二〇一〇年末に出した拙著『竹中平蔵こそ証人喚問を』（七つ森書館）が予想外の売れゆきで増刷となった。竹中が金融庁顧問に抜擢した木村剛がワンマン的に支配した日本振興銀行が破綻してペイオフが発動されたことについて竹中は何のコメントも出さず逃げまわっていることや、郵政民営化にからむ「かんぽの宿」の一括払い下げ問題でも疑惑がささやかれていることに竹中が納得のいく説明をしていないからだろう。

私は「証人喚問」というなら小沢一郎より竹中をと主張しつづけているのだが、それに賛成してくれる人は少なくない。竹中の論敵であったエコノミストの植草一秀も『知られざる真実――勾留地にて』（イプシロン出版企画）で、りそな銀行の処理など「深い闇を抉る戦慄の告発」をしている。

二〇〇五年秋の「郵政民営化選挙」に反対派の亀井静香を落とすべく立候補した堀江貴文の応援に行った竹中は「改革は小泉総理とホリエモンと竹中平蔵でやり遂げる」と絶叫した。この時、自民党幹事長だった武部勤は堀江を「私の息子です」と持ち上げたのである。

この年の六月二一日、衆議院の「郵政民営化に関する特別委員会」で、民主党の五十嵐文彦が、民営化についての一億五〇〇〇万円規模の政府広報業務が「有限会社スリード」という竹中郵政担当相の秘書官が関係していると見られる業者に随意契約で発注された経緯が不自然だと質問している。竹中も登場する「郵政民営化ってそうだったんだ通信」という新聞折り込みチラシを全国の約一五〇〇万世帯に配布したのだが、政府広報業務は本来、競争入札に付されなければならないのに、随意契約で「スリード」に発注されたのである。さらに民主党の中村哲治は、同社の「郵政民営化・合意形成コミュニケーション戦略（案）」を示した。グラフの下半分のＩＱ（知能指数）の低いゾーンが四角で囲まれ、「小泉政権支持層」と記されて「具体的なことはわからないが小泉総理のキャラクターを支持する層」などと説明されていることを指摘したのである。改めて証人喚問する必要があるではないか。

## 何度でも言う！「ペラ蔵」こと竹中平蔵氏こそ証人喚問せよ

前略　竹中平蔵殿

一時は鳴りをひそめていたかに見えたあなたの舌も、またペラペラと動き始めましたね。しかし、それが上すべって実のないものにしか聞こえないのは、あなたが都合の悪いことには逃げまわって、まったく答えていないからです。

いま、小沢一郎氏に「説明責任」を追及し、国会での証人喚問を求める声がかまびすしいですが、私はあなたにこそ証人喚問を、と前から主張してきました。

破綻した日本振興銀行に対する金融庁の対応を検証する「第三者委員会」（委員長・草野芳郎学習院大教授）の報告書が八月末に出ましたが、振興銀行の設置を認可した当時の金融担当大臣だったあなたは、この委員会の聞き取り調査の依頼に応じなかったのですね。

振興銀行は、あなたが金融庁の顧問に抜擢した木村剛氏が実質的に設立したもので、〝木村銀行〟とも言われました。あなたが金融担当大臣でなければスタートできなかったことを考えれば〝竹中・木村銀行〟でもあったわけです。

それを踏まえて、報告書は振興銀行への免許は「妥当性を欠く不当な免許」であり、「付与すべきではなかった」と結論づけています。

さらに、のちに銀行法違反（検査忌避）で逮捕された木村氏がリードし、竹中大臣がまとめた「金融再生プログラム」が免許の付与に強く影響した点も強調しているのです。

だから、報告書を現金融担当大臣の自見庄三郎氏に提出した後、記者会見した検証委員会の草野委員長は竹中氏について「行政対応の責任はそれなりのものがある」と発言しました。また、金融再生プログラムが中小企業への融資の必要性に触れており、振興銀行が中小企業融資を専業とする銀行免許を申請したので、振興銀行の「申請は不許可にできる雰囲気ではないと考えていた職員の存在がかなり認められた」とも指摘しているのです。

日本の官僚社会、お役所を考えた場合、トップの大臣が全幅の信頼を置く顧問が認可を申請した銀行の設立に「待った」をかけられる職員が存在しないことは明らかでしょう。

問題は、それが強引で無理なものだったことが判明した段階で、そのトップ、つまり、あなた（ペラペラしゃべるからペラ蔵氏とでも呼びましょうか）がダンマリを決め込んでいることです。

木村剛氏が逮捕された時も、コメントしないと言っただけで、あなたは頬かむりをしました。芸能人などには厳しくマイクを突きつけるのに、あなたにはそれをしないメディアに、私は「腰ぬけ」と言いつづけましたが、メディアにそれができないなら、国会に呼んで証人喚問するしかないでしょう。小沢一郎氏への証人喚問を拒否する民主党に対して、自民党や公明党が党利党略と非難するなら、あなたへの喚問を拒む理由はありません。もし拒否するなら、それこそ、自民・公明の連立政権が推進した小泉（純一郎）・竹中「改革」の立役者だから拒むのかと、小沢喚問拒否への非難がブーメランのように自分たちに返ってくるからです。

自見金融担当大臣は記者会見で、第三者委員会の検証結果について、

「竹中平蔵元金融担当大臣の道義的責任がより明らかになった」

と述べました。私は道義的責任だけではないと思いますが、小沢一郎氏とあなたの証人喚問をぜひ実現してほしいものです。あなたにはそれに積極的に応ずる義務と責任があるでしょう。

# 口先三寸タカ、橋下徹

## 「弱い犬ほどよく吠える」

前略　橋下ツイッター徹殿

あなたのツイッターとやらを読んで、「弱い犬ほどよく吠える」の典型だな、と思いました。

ユーモアもなく、キャンキャンキャンキャンキャンとうるさい限りですが、言いたい奴には言わせておけ、という態度はとれないのですか？

あなたは山口二郎、浜矩子、内田樹、中島岳志らを「世間知らずの学者」と呼び、いかにも自分は違うと言いたげですね。しかし、いわゆるセンセイと呼ばれる人たちは、弁護士も含めて「世間知らず」というのは定評ではありませんか。

少なくとも、あなたが世間を知っているとは私は思いません。知っているなら、批判はありうるものとして、もっと冷静に対応するでしょう。

私は、あなたが批判している、というより口汚なく罵(ののし)っている人たちよりも、あなたが共感している人たちに注目しました。

たとえば猪瀬直樹であり、竹中平蔵です。いずれも、小泉〝改革〟の側用人だった人ですが、猪瀬についてはこう言っていますね。

「猪瀬さんに対してだって大学教授連中やコメンテーターは無茶苦茶言ってましたよ。じゃあお前がやって見ろよ！って。猪瀬さんの動労（道路）（ママ）公団民営化の凄さは、政治・行政をやってみたら分かるんだ」

竹中平蔵も大学教授ですが、あなたに言わせれば違うのですね。

「実際に政治・行政のど真ん中に入って、政治・行政のプロセスを体験し、実行した大学教授って、世間に対する謙虚さがにじみ出ている」

竹中を「謙虚さがにじみ出ている」と評価する人に私は初めて出会いました。自分が規制緩和した業界で伸びたパソナの会長になり、年俸一億円を取っているという竹中のどこを押せば、「謙虚」という音が出てくるのでしょうか。

私は『タレント文化人200人斬り』（毎日新聞社）で、猪瀬を十回以上批判しています。だから、ここでまた猪瀬批判を繰り返しはしませんが、マイナスの改革であることがはっきりした新自由主義の推進者ではありませんか。

それと、あなたは、やはり自分の弱さを自覚しているのか、田原総一朗や石原慎太郎にしきりにエールを送っています。

私は、慎太郎については、三島由紀夫の痛烈な批判が忘れられません。

『話の特集』の編集長だった矢崎泰久によれば、あるとき石原が、

「三島さんと近く『毎日新聞』で公開書簡を交換する。そのあと対談してみたい」

と言ってきました。論点は嚙み合っていなかったのですが、二人の対談はしばらくなかったし、論点を絞ればおもしろいと思ったので、三島に電話をしたそうです。すると、こんな答えが返ってきました。

「ぼくは、いやしくも文学者です。政治屋に堕落した人間とは口もききたくないという心境です。石原君が文学者として話したいというなら、多少の余地はあるかも知れないけれど、新聞を読んだ限りでは、もう彼は別の世界の人間だ。接点がない以上、この対談は無意味ですよ。文学者としてのぼくが、石原君との同席には耐えられません」

石原という人は、私は〝鳥なき里のコウモリ〟だと思っています。ある時は作家面をし、ある時は政治家面をする。三島流に言えば「政治屋に堕落した人間」ですが、あなたはそうではないと言い切る自信がありますか。キャンキャン吠えてばかりいるところを見ると、猪瀬らと同じく、自信がない人なのですね。

## 明治維新の下手な替え歌が大阪維新ではないか

前略　大阪〝不〟維新ファンへ

小畑実の歌う「勘太郎月夜唄」をご存じでしょうか？　その中に、

〽菊は栄える　葵は枯れる

という一節があります。明治維新で葵の紋の徳川が滅び、菊の紋の天皇に支配者が代わったことを歌っているわけですが、当時八割を占めた農民にとっては生活が苦しいことに変化はなく、維新は〝裏切られた革命〟となりました。

それを知っていて、橋下徹が「大阪維新の会」を名乗ったのなら、相当のワルと言わなければなりません。

それはともかく、私は橋下の説く維新は不維新だと断定したいと思います。堺屋太一や竹中平蔵がブレーン的に入っていることでわかるように、彼らの主張する維新は小泉（純一郎）・竹中の「改革」と同じく、まがいものの変革です。

TPP推進が象徴的で、いわゆる大企業の言うがまま。小泉・竹中路線の亜流であることは否定しようがありません。規制緩和と民営化ならぬ会社化が格差を広げたことはハッキリしていますが、それをまた橋下はやろうとしているのです。小泉の後継者の安倍晋三に近づいているのも、そのことを証明しているでしょう。維新八策とやらのどこを見ても、こうした会社の暴走に歯止めをかけようとする政策はありません。

二〇一二年九月三日付の『毎日新聞』夕刊で関西電力が需要や融通電力量をいかにごまかしていたかが詳述されていましたが、そんな関電に簡単に説得されて、橋下徹は大飯原発の再稼働を容認してしまいました。

つまり、日本が官僚国家であることには挑戦的でも、会社国家であることにはまったく無警戒なのです。頭の中に入っていないと言っていいでしょう。あるいは規制緩和派の堺屋や竹中に洗脳されてしまっているのかもしれません。

いまから、ちょうど二十年前、東京の兜町や大阪の北浜で、北島三郎の歌う「与作」の替え歌、「のむら」が流行(はや)りました。

〽のむらはシラを切る

ヘイヘイホー　ヘイヘイホー

相場は怖いよ

ヘイヘイホー　ヘノヘイホー

お客は損を切る

トントントン　トントントン

言うまでもなく、「のむら」は野村證券を指します。

そのころ私はアル・アレッツハウザーが書いた『ザ・ハウス・オブ・ノムラ』を監訳し、新潮社から出そうとしていましたが、野村が原著者を訴えたりして圧力をかけ、刊行はかなり遅れました。

しかし野村がトヨタや松下電器（現パナソニック）といった大口法人顧客や、暴力団の稲川会会長だった石井進等には、損をさせないよう損失補塡や便宜供与をしていたことが発覚し、こうした不祥事の責任を取る形で、当時の社長の田淵義久と会長の田淵節也が退任したことによって、訳書を訴えるどころの話ではなくなったのです。

刊行されるや、この本はベストセラーとなり、監訳者の私は、

「当分、兜町は歩かない方がいい」

と冗談まじりに忠告されました。

あれから二十年、また、野村のトップの渡部賢一が増資インサイダー問題で引責辞任しました。

少しも変わっていないのです。

それは原発問題での東京電力や関西電力の対応を見てもわかるでしょう。反省する気も

能力もない大企業のトップの暴走をどうストップするか。規制緩和派で、そんなことを考えてもいない「大阪維新」の橋下を私は信ずるわけにはいきません。

# 竹中平蔵と三木谷浩史

〈ミヨさん来る。中山素平君の見舞いのスッポン持参。妻に中山氏あてのお礼の電報を打って貰おうとして、さて「素平」をなんと読んだらいいか迷う。私たちの間では、ソッペイさんと言っている。一種のアダナだ。まさかナカヤマ・ソッペイサマとは書けない。なお興銀は総裁か頭取か、これも迷う〉

高見順の『闘病日記』（岩波書店）の一節である。日本興業銀行のエリート・バンカー、中山素平（そへい）は、作家の高見順とこれほど親しいつきあいがあった。中山の評伝を書いた城山三郎が言うように政財界人にとっては要注意の文士の高見と中山は平気で交友を結んだのである。

理念なき膨張をとげたリクルートの創業者、江副浩正（えぞえ）を批判した時にわかったのだが、江副は小説を読まない。竹中平蔵や三木谷浩史もそうだろう。竹中と三木谷は『文藝春秋』の二〇一三年四月号で対談し、竹中が「立派な財界人」として木川田一隆（経済同友会元代表幹事）を挙げている。この木川田が最も信頼した財界人が中山素平だった。中山はもちろん「企業の社会的責任」を高唱した木川田も、経営にはおよそ役立ちそうもない小説に通じている。そこで、世の中には計算できないもの、割り切れないものがあるのを学んで人間の幅を広げたのである。

「企業の社会的責任」など考えたこともないだろう竹中に、対極に位置する木川田の名前を口にしてほしくない。

大体、この対談の竹中の肩書が不十分だ、三木谷は「楽天会長兼社長」だが、竹中は「慶大教授」だけ。しかし現在も「パソナ会長」をやっているのだから、「兼」としてそれを並べなければ竹中のペテンを隠すことになる。

二人は共に安倍晋三が議長の「産業競争力会議」の民間議員をやっているが、竹中はクビ切り自由の〝解雇特区〟(別名ブラック特区)を設けようとした。パソナが大歓迎の「改革」を進めようとしたのである。それなのに厚かましく前掲の対談でこうヌカしている。

「どの審議会にも、政策の利害関係者の方がメンバーにいますね。本来こうした政策審議会は利害関係をもたないインディペンデントな議員のみによって構成されるべきです」

ならば即刻、パソナの会長をやめるべきだろう。竹中は「インディペンデント」の意味を知らないのか。メディアも、この二股を追及しないのはおかしい。だから竹中に「一部歪(ゆが)んだ報道により、しっかりとした改革が止められる可能性についても危惧している」などという文書を出されることになる。ナメられているのである。私は竹中をこそ証人喚問せよと主張してきたが、格差拡大の政策を進めた責任をまったく感じていない竹中に、「歪んでいるのはお前だ」と召喚状を突きつけてやるべきなのだ。

三木谷の楽天では英語を〝公用語〟としている。傘下のプロ野球チームにまでは及んでいないらしいが、英語至上主義はアメリカ的価値観を絶対とすることを意味している。よく知られているようにアメリカは国民皆保険ではない。カネがなければ十分な診療を受けられないアメリカを理想として三木谷は、保険診療と保険外診療を併合する混合治療を認めよと主張する。しかし、そうすれば皆保険が崩れることは火を見るより明らかだろう。

また、イスラムでは利子を取る習慣がない。それはアメリカ的資本主義にとっては非常に都合の悪いことであり、アメリカがことさらイスラムを敵視するのはそれも原因しているのである。

ともあれ、竹中や三木谷のような、余裕がなくて、おもしろみもない部分人間がわがもの顔に振舞う日本になるのは真っ平御免だ。メディアよ、本気で彼らを葬り去れ！

## 竹中平蔵という妖怪

私はかつて『小泉純一郎と竹中平蔵の罪』（毎日新聞社）を刊行し、続いて『竹中平蔵こそ証人喚問を』（七つ森書館）も出版したが、一度葬ったはずの妖怪がまた復活してきている。一体、安倍晋三は何を考えているのだろうか。

たとえば、二〇一三年一月九日付の『日刊ゲンダイ』は「日本経済再生本部」の傘下に設けられた「産業競争力会議」の委員となった竹中が〈安倍内閣の命取りになる〉とし、私もコメントを求められたので、こう指弾した。

〈安倍内閣は内外に、再び格差を拡大させると宣言したようなものですよ。まして、竹中氏には多くの疑惑が積み残されている。日本振興銀行を作った木村剛氏は逮捕された。認可した竹中氏はなぜ、無傷なのか。学者時代は日本と米国を行き来することで、課税を逃れている〝逃税〟も指摘された。さらに規制緩和で儲けた外資の手先ともいわれました。そんなこんなで、しばらくは表舞台から消えていたのに、選挙前に維新の会の候補者選定に関わり、ちゃっかり安倍内閣で復活した。自民党のいい加減さ、ケジメのなさの象徴です〉

一方、翌一〇日付の『夕刊フジ』は竹中シンパの高橋洋一元内閣参事官が、委員にと安倍から打診を受けた竹中は、小泉純一郎に相談し、小泉から、

「安倍首相が言うなら、会議で正論を述べよ」

と言われたと高橋に打ち明けたと書いている。

「産業競争力会議」は、「経済格差拡大会議」が、その実体である。

どこまでも強欲な竹中は、自らが推進した規制緩和で大きくなった人材派遣会社のパソナの会長に就任し、一億円の年俸を得ているといわれる。それなのに『「改革」はどこへ行った？』（東洋経済新報社）などという愚書で、〈改革を実施すると、必ず既得権益を奪われて、困る人たちが出てきます〉とモットモらしいことを言っている。そんなセリフは、〝新既得権益〟のパソナ会長の椅子を放棄してから言え、と怒鳴りつけたい。

## 「城山三郎」を誤読する竹中路線の人びと

城山三郎のつまみ食いが続いている。それは誤読から生ずる。その最たるものは二〇〇七年四月一八日付の『朝日新聞』経済欄だろう。冒頭に登場する内橋克人以外は、すべて城山の主張に背く経済人である。

そこで内橋は「城山さんと私は同じ系譜だから」と言っているが、私は常々、長谷川慶太郎―堺屋太一―竹中平蔵のバブル派経済論に対して、城山―内橋―佐高の反バブルの経済論があるのだと強調してきた。後者は「野放し資本主義」に反発して、それを制御する必要があると説く系譜と規定してもいいが、ここで城山文学の背景にある思想を云々している平岩外四、牛尾治朗、出井伸之、江上剛はいずれも竹中路線に賛成している人ではないか。

多分、内橋はこれらの人と一緒にされたくはないという気持ちに違いない。城山文学に即して言えば、『落日燃ゆ』の主人公、広田弘毅のように、裁かれるべき軍人たちに混じって、ただ一人、裁かれるべきでない文人の広田が並んでいるようなものである。こうした頓珍漢は、『朝日』の経済部が城山文学の何たるかを理解せず、竹中やその仲間の木村剛（日本振興銀行会長)、そして、彼らのエピゴーネンに過ぎない江上を筆者として起用していることから生ずる。

問題銀行の日本振興銀行の社外取締役をやり、そして社長になった江上など、城山が最も嫌ったタイプの人間である。作家がそんなことをやる、いや、そんなことをやっている人間が作家を名乗ることなど、城山には想像できなかった。日本銀行からの卑劣な圧力を受けながら、それに屈せず、『小説日本銀行』を書いた城山は、例の福井俊彦(総裁)の村上ファンドに関するスキャンダルを話題にしたら、口にするだに汚らわしいという感じで横を向いたが、江上の二股、あるいは二足のわらじを知ったら、論外だと吐き捨てるだろう。そもそも、竹中や木村を城山はまったく評価していなかった。

彼らに聞いた城山作品の「お薦め三冊」も喜劇的である。

元経団連会長の平岩、元経済同友会代表幹事の牛尾、そして〝作家〟の江上が『粗にして野だが卑ではない』を挙げているのだが、『朝日』の記者は、この作品を読んだ上で問題なしとして、ここに書いたのだろうか。

この作品は国鉄の総裁を務めた石田礼助を主人公にしている。言うまでもなく、石田は勲章を拒否した人であり、城山もそれに価値を置かない人間である。

しかし、平岩はすでに勲章をもらった人であり、牛尾も江上も拒否しそうにない人である。『朝日』はそれを知った上で、皮肉な意味で、彼らの推薦をここに書いたのか。

また、牛尾にはリクルート事件のキズがある。その牛尾は、この作品の次の場面をどう読んだのか。

石田は若き日に、三井物産の先輩の山本条太郎から、

「大臣になろうと思うが、君の意見は」

と尋ねられ、ズバリと、こう直言した。

「あなたの眉間にはシーメンス事件のキズがある。日本人は極めてケッペキ。おやめなさい」

石田の言うように「日本人は極めてケッペキ」であるかどうかは疑わしい。少なくとも牛尾と、彼に語らせた『朝日』がケッペキでないことは確かだろう。

## 竹中平蔵こそ証人喚問を

二〇一四年六月七日付の『日刊ゲンダイ』に大きく、「竹中逆ギレ」とある。パソナ会長の竹中平蔵が五月一〇日に名古屋ローカルで放送された「激論コロシアム」（テレビ愛知）で、経済評論家の三橋貴明に、

「なぜ諮問会議などで民間議員という名の企業の経営者が、自分の会社の利益になるような提案をするのか」

と問われ、厚かましくも、

「それ（その考え）はおかしい。企業の代表としてではなく、有識者として入っているんですよ」

と答えたが、

「ならば企業の代表を辞めたらどうか」

と突っ込まれると、

「どうしてですか？」

と居直り、自分のことは棚に上げて、

「（自分が入っている）経済財政諮問会議や産業競争力会議は違うが、政府の審議会は利益代表を集めた利益相反ばかりなんです。それをつぶさなきゃいけない」

と言い放った。

竹中も同じ穴のムジナではないかと三橋が追及すると、竹中は、

「私はそれ（労働規制緩和）に対して何も参加していない。派遣法について何も言っていない。根拠のない言いがかりだ。失礼だ！　無礼だ！」

と顔を真っ赤にして逆ギレしたという。

この竹中の反論は事実に反していると『日刊ゲンダイ』は指弾しているが、こんな竹中については「盗っ人猛々しい」と言わなければならない。

そう言われたくなければ、パソナ会長を辞めればいいのである。メディアも竹中の言う通りに慶大教授と書くが、収入の額は圧倒的にパソナ会長の方が多いのだから、パソナ会長と書くべきで、慶大教授と書くのは竹中の片棒をかついでいると言われても仕方があるまい。

私は竹中こそ国会に呼んで証人喚問すべきと主張し、『竹中平蔵こそ証人喚問を』（七つ森書館）という本を出した。

その理由は主に三つある。

一つは竹中が金融担当大臣だった際に木村剛を金融庁の顧問にし、木村が会長となった日本振興銀行が破綻したのに、その責任を問われながらコメントを回避したこと。

二つ目は、郵政「民営化」にからむ「かんぽの宿」のオリックスへの払い下げ問題への関与。

そして、三つ目が〝逃税疑惑〟等の竹中個人の問題である。

「一月一日に日本にいなければ、住民税は請求されないから、毎年暮れに住民票を海外に移せば節税になるよ」

と竹中は言って、それを実行していた。

日本振興銀行の設立許可には、それが異例に早かったことで竹中の関与が噂されたが、二〇一〇年九月一三日付の『日刊ゲンダイ』は「木村剛よりもっと悪い竹中元金融相の大罪」という大見出しの記事を掲載し、「国会招致の動きも」と報じたが、竹中シンパの『朝日新聞』をはじめ、大手メディアはその動きを追わなかった。

竹中擁護という点では、『日経』『産経』『朝日』等が皆同じなのである。しかし、小沢一郎を断罪した勢いでメディアが竹中を追及しないのはおかしいだろう。

日本マクドナルドの社長だった藤田田(でん)に取り入り、フジタ未来経営研究所の理事長となって、マクドナルドの未公開株を受け取ったりした竹中に私は〝マック竹中〟というニックネームを進呈した。彼はそれを喜んでいないらしいが、では、〝パソナ平蔵〟はどうか？

六月一一日付の『日刊ゲンダイ』では、韓国船沈没事故の「元凶のひとりは竹中平蔵」と書かれている。事故の背景には李明博前大統領が進めた新自由主義による規制緩和があり、竹中は李の助言役の「国際諮問委員」になっていたというのである。〝李コノミクス〟にもアベノミクスにも関わっている竹中はまさに国際的公害と言わなければならない。

## 〝おんな竹中平蔵〟大田弘子への手紙

『週刊金曜日』も前に、「産業競争力会議」のメンバーを挙げ、竹中平蔵を「パソナ会長」ではなく、「慶應義塾大学総合政策学部教授」としていましたが、竹中の後を受けて経済財政政策担当大臣となり、〝おんな竹中〟といわれるあなたも、「みずほフィナンシャルグループ取締役会議長」とかではなく、「政策研究大学院大学教授」と書かれたいですか？

しかし、みずほFGの佐藤康博社長が、あなたについて、

「大臣や政府関係の役職の経験があり、高い見地からみずほの課題を取り上げてもらえる」

「女性の立場から意見を述べてもらいたい」

と述べていることでわかるように、あなたも竹中も大学のセンセイとして、そうした地位についているのではありませんよね。

あなたは他に、パナソニックやJXホールディングスの社外取締役もやっているとか。

私は『ZAITEN』二〇一四年七月号の「名義貸し社外取締役」の特集にコメントを求められ、

「社外取締役は単なるお飾り。初めから『ノー』と言わない人と会社から認定された〝う

なずき人形〟のようなもので、御用学者ならぬ御用取締役です。田んぼの中のカカシはそこにいるだけで役に立っているが、『ノー』と言わない社外取締役はカカシ以下でしかない」と指摘しました。

竹中を〝オスのカカシ〟とすれば、あなたは〝メスのカカシ〟となりますが、不満ですか？

社外取締役の報酬は年額一〇〇〇万円前後だと知って、私は城山三郎の『総会屋錦城』（新潮文庫）の一節を思い出しました。会社には総会屋のほかにも「会社の闇の血を吸って生きている」ダニがいるとして、こう喝破しているのです。

「どの大企業にも、数匹、数十匹のダニがついている。用といえば、年に二回の総会ですごんだ声をかけるだけ。無職無税のひまな体で、会社の秘書課あたりにとぐろを巻き、帳簿にのらぬ金を食って生きて行く。だが、それ以上に大きなダニが悪質な顧問弁護士や公認会計士なのだ。明るい血だけで満足せず、膨大な闇の血を要求する。企業は成長し、ダニもまた成長する。銀行もデパートもメーカーも、白く輝く衣裳の内側は、そうした闇の血を吸う大小のダニにとりつかれている」

あなたは、自分がもらっているのは「闇の血」ではないと言うかもしれません。では、城山がここで言う「ダニ」とどう違うのでしょうか？

みずほに統合された旧第一勧業銀行の頭取、会長を歴任した宮崎邦次(くにじ)さんが、総会屋への利益供与事件で自殺したのは一九九七年の六月二九日でした。その遺書に公表されなかった一行があると、二〇〇七年七月六日号の『週刊朝日』が報じました。

「今回の不祥事について大変ご迷惑をかけ、申し訳なくお詫び申し上げます。真面目に働いておられる全役職員そして家族の方々、先輩のみなさまに最大の責任を感じ、且、当行の本当に良い仲間の人々が逮捕されたことは、断腸の想いで、六月一三日相談役退任の日に、身をもって責任を全うする決意をいたしました。逮捕された方々の今後の処遇、家族の面倒等よろしくお願い申し上げます。スッキリした形で出発すれば素晴らしい銀行になると期待し確信しております」

「宮崎」と記した遺書の最後に、「佐高先生に褒められるような銀行に」という一行があったことは高杉良さんから聞いていました。それを知って私は複雑な気持ちになりましたが、あなたはカカシを脱却できますか？　脱却する覚悟をもっていますか？

## 竹中平蔵の肩書

竹中平蔵の肩書をどう書くかで、その人のジャーナリスト感覚が測られる。

慶大教授と書いたら落第。パソナ会長と書いたら正解である。明らかにパソナからもらっている金額の方が大きいだろう。慶大教授としてのそれをしのぐはずで、ならば「自称」の教授と書くのではなく、パソナ会長と書かなければならない。そこをメディアは簡単に竹中にコントロールされている。

だから竹中は増長し、「朝まで生テレビ」で、こんな放言をすることになる。

「同一労働同一賃金というんだったら、正社員をなくしましょう、って言わなきゃいけない」

大学教授がアルバイトで、ピンハネ業のパソナが主たる収入源の〝強欲平蔵〟が何を言うか、である。

パソナ会長として見れば、これはまさに我田引水ならぬ我田引金の発言。

日本マクドナルドの創業者の藤田田に取り入り、フジタ未来経営研究所の理事長となって、マクドナルド未公開株を受け取った竹中に私は〝マック竹中〟とニックネームを進呈したことがあるが、人材派遣業のパソナに水ならぬカネを引きつづける竹中に〝インキン平蔵〟という綽名を追加してもいい。パソナ平蔵はインキン平蔵だ、と。

安倍晋三を弟のようにかわいがってきたという亀井静香は『晋三よ！　国滅ぼしたもうことなかれ』（エディスタ）で、安倍を含む自民党の右寄りの者たちは経済政策や財政政策に疎く、その隙に「竹中平蔵元国務大臣はじめ、新自由主義の者たちが入り込んだ」と嘆いている。「いい加減な経済学者の連中が、真空地帯にすーっと入ってきた」というわけである。盗っ人のように忍び込んだ者の筆頭が竹中であることは断るまでもない。

「（安倍）総理は経済に関してはあまり得意じゃない。だから取り巻き連中はやりたい放題。人がいいから任せたという感じだろうが、国民にとってはたまったものではないな」

亀井の慨嘆はこう続く。安倍と同じように一度は挫折したはずの竹中が復権したのは、官房長官の菅義偉との連携が大きい。やはり経済がわからない菅は、竹中が総務大臣だった時の副大臣で、以来、竹中のことを盲信している。

竹中は維新の橋下徹との関係も深いが、先ごろ、佐賀県知事選で、農協つぶしに〝佐賀の橋下徹〟といわれた前武雄市長の樋渡啓祐（ひわたしけいすけ）を地元に押しつけ、反発して地元が立てた元総務官僚の山口祥義（よしのり）に敗れた第一の責任者は菅だった。菅がＴＰＰに反対する農協をつぶそうと強引に事を運んで逆転されたのである。ここにもインキン平蔵の影を見ることができる。

竹中は日本振興銀行の元会長で逮捕された木村剛を金融庁の顧問に抜擢したことの責任も取っていない。木村が罪に問われて、竹中はなぜセーフなのか?

竹中の掌返しは、木村が逮捕されるや、竹中が主宰する経済政策の専門家集団「チーム・ポリシーウォッチ」のホームページから木付の写真を素早く削除したことでも明らかである。木村が理事長のフィナンシャルクラブの最高顧問に竹中がなったのは、そのわずか一年余り前だった。日本振興銀行の最初の旗振り役ながら木村に追われた落合伸治は『日経ビジネス』の二〇〇四年一二月二〇日号で、こう言っている。

「木村氏の協力を仰いだ理由は単純ですよ。許認可を取ってくれるということだったのでお願いしたわけです。木村氏は『金融庁と竹中さんがバックについているんだ』といつも言っていましたから」

つまりは〝主犯〟は竹中で、木村は従犯に過ぎなかったのだが……。

## 節操も思想もない竹中平蔵

雑誌『表現者』の六七号（二〇一六年七月一日発行）に、榊原英資がこう書いている。

〈日本民主青年同盟、いわゆる民青は共産党傘下の青年組織で大学等で積極的に活動している。実は竹中平蔵、白川勝彦も学生時代には民青のメンバーで白川は東大の駒場寮の委員長等を務めている。（中略）又、後に大蔵省（現財務省）に入省した中島義雄も社会主義青年同盟（社青同）に属し、駒場の副委員長時代（委員長は江田五月）全学ストを決行し、一年間の停学処分を受けている〉

竹中がかつて民青だとは知らなかった。

『竹中先生、これからの「世界経済」について本音を話していいですか？』（ワニブックス）と題する竹中との共著を出している佐藤優は、浦和高校時代は社青同に入っていたというが、民青と社青同は相性が悪いのではないだろうか。

それはともかく、佐藤はこの本で、次のような苦しい言いわけをしている。

〈私は大宅壮一ノンフィクション賞の選考委員をやっていて、竹中さんを批判した『市場と権力「改革」に憑かれた経済学者の肖像』（佐々木実著・講談社）の受賞選考にも関わったことがある。

この時、作品の構成、論理の展開については、佐々木氏の腕がいいことは認めざるを得なかった。賞の選考に関しては、良し悪しと好き嫌いを混同してはいけないと私は考えている。

しかし、私が選評を書くことになったので、「私は竹中さんについてはまったく認識が違う」ということを明らかにした。選評を読んでもらえばわかると思うが、受賞作なのにけっこう厳しく書いている。

この件に関しても竹中さんが立派だと思うのは、私が選考に関わっていることを知っているにもかかわらず、「よくもこんな本に賞を出しやがって。もうお前とは会わない」など怒っているわけでもないし、そういう雰囲気を微塵も感じさせないことだ。

〈やはり竹中さんは度量が広いし、国際基準からいっても彼はインテリなのである〉

私は佐藤と違って、竹中を「度量が広い」とも思わないし、「インテリ」だとも認定しないが、もし竹中が本当に「立派」な人間なら、「この件に関しても」以下は蛇足だろう。

竹中のデタラメさを暴いた『市場と権力』を私は高く評価する。たとえば、こんな指摘がある。

二〇〇一年の「ダボス会議」に、当時首相だった森喜朗が日本の首相としては初めて参加したが、竹中はそれを仕掛けただけでなく、森の講演原稿づくりまで手伝った。この会議には民主党党首の鳩山由紀夫も出席していて、鳩山と会った竹中は、こう切り出したという。

「民主党の代表として政策をつくるときにはブレーンが必要になるんじゃないですか。鳩山さん、ブレーン集団をつくりましょうよ」

勧めに応じて鳩山は竹中の責任の下でブレーン集団を立ち上げることに同意した。帰国した竹中は東京財団の研究部長にそれを伝える。東京財団を事務局にするつもりだったからだ。話を聞いて部長は驚き、念を押した。

「竹中さん、本当にいいんですか」

竹中は政権側の森のブレーンである。それなのに野党側の鳩山の知恵袋になってもいいのか？　私は当然の疑問だと思うが、節操はもちろん思想もない知識商人は平気なのである。

経済の見方で私は元共産党員の長谷川慶太郎を筆頭に堺屋太一、竹中と続くバブル派の流れと、城山三郎、内橋克人、そして私の反バブルの系譜があると言っているが、前者は無思想の両棲類である。

## 宇沢弘文の竹中批判

二〇一九年一月二一日午前九時、「竹中平蔵による授業反対」の立て看板を出し、ビラを配り始めた東洋大学四年の船橋秀人は、わずか一〇分ほどで大学の職員に取り囲まれ、それを中止させられた。

ビラには「正社員はなくせばいい」「若者には貧しくなる自由がある」といった竹中の発言を「労働者派遣法の改悪は、自らが会長を務める（人材派遣）会社の利権獲得に通じていた」と批判し、「こんな男がいる大学に在籍していることが僕は恥ずかしい」と嘆く言葉が並んでいたが、確かにパソナ会長の竹中を招いた大学に在籍することは恥ずかしいだろう。

私の郷里の山形県酒田市にある東北公益文科大学が客員教授として竹中を呼んだことを批判したことがある。地元紙の『荘内日報』の二〇一二年二月二四日付「佐高信の思郷通信」欄でだった。

同大がノーベル賞級の経済学者の宇沢弘文を招き、宇沢の希望で私と対談したのだが、宇沢は竹中を呼んだ同大学長（当時）の黒田昌裕を前に激しく竹中を批判したのである。

東京と地方の格差を広げ、富める者と貧しき者の差を拡大した竹中について、私は『竹中平蔵こそ証人喚問を』（七つ森書館）で具体的に断罪した。わかる人にはわかるのか、この本は増刷に増刷を重ねたが、たとえば『日刊ゲンダイ』は次のように紹介してくれた。

「小泉純一郎元首相に重用され、偽りの『構造改革』で日本を混乱に陥れた元金融担当大臣の責任を追及する糾弾の書。木村剛を金融庁の顧問に据え、彼が会長となった日本振興銀行の破綻問題、郵政『民営』化にからむ『かんぽの宿』のオリックスへの払い下げ問題、そして住民票の故意の異動による『逃税疑惑』などを問いただすため、氏を証人喚問すべきと主張。さらにトヨタによるミサワホーム乗っ取り計画の背後で暗躍したり、民間人時代に某外食産業をテレビで褒めたたえ、同社の未公開株を入手したりと、政商ならぬ学商（学問を商売にする人間）の素顔を暴く」

某外食産業とは日本マクドナルドで、だから私は竹中に〝マック竹中〟というニックネームを進呈した。パソナを加えれば〝パソナ平蔵〟でもある。

日本に新自由主義ならぬジャングルの自由の旧自由主義、もしくは原始自由主義をもたらしたこの竹中をボスとする「竹中組」の一員に高橋洋一という男がいる。高橋は『夕刊フジ』などにコラムを連載し、ひたすら安倍政権を擁護している。

肩書としてはコラムの末尾に「元内閣参事官、嘉悦大教授」とあるが、重要な履歴が脱けている。高橋は隠したいだろうけれども、ハレンチ罪に問われているのだ。

東大の理学部数学科と経済学部経済学科を卒業して大蔵（現財務）省に入った高橋は、〇一年に発足した小泉内閣では経済財政政策担当大臣の竹中の補佐官となり、〇六年にスタートした安倍内閣での内閣参事官を経て〇八年に退官し、東洋大学の教授に就任した。竹中が学生にレッドカードを突き付けられた問題の東洋大学である。

高橋は『さらば財務省！――官僚すべてを敵にした男の告白』（講談社）という古巣を叩いた本で山本七平賞を受けているが、〇九年三月二四日に恥ずかしい事件を起こした。

東京は練馬区の「豊島園庭の湯」の脱衣所ロッカーから、現金約五万円入りの財布や有名ブランドのブルガリの高級時計（数十万円相当）を盗んだのである。

『毎日新聞』などの報道によれば、被害者の男性からの連絡で練馬署員が駆けつけ、防犯カメラで確認すると、高橋に似た人物が映っていた。

それで高橋に事情を聞いたところ、盗んだことを認めたという。

「いい時計だったので、どんな人が持っているのか興味があって盗んだ。大変申し訳ないことをした」

こう弁明する高橋に逃亡の恐れがないので逮捕はしなかったとか。高橋は妻と二人で「庭の湯」に来ていたらしい。

東洋大学の広報課では「事実関係を確認中だが、教育者として許し難いことで、心よりおわびしたい。厳正な処分を行いたい」とコメントした。

そして同年三月三〇日に窃盗の容疑で書類送検された高橋を「大学の品位を傷つけた」として四月二〇日付で懲戒解雇としたのである。

東京地方検察庁は四月二四日に自らの犯行を認めた上で反省しているとして起訴猶予にしたが、政権に批判的な人間なら、同じような甘い処分にしただろうか。逮捕もし、起訴もしたのではないか。

女性をレイプして逮捕状まで出ながら、安倍の〝超側近〟であるために捕まらなかった元TBSの山口敬之と同じように、高橋も生き延びてしまった。

私など、もう高橋は公の場に顔を出せないはずだと思うのだが、嘉悦大学が彼を拾ってくれ、わずか半年後にはテレビ等にもまた登場して、もっともらしいことを言うようになってしまった。あるいは、これも「竹中組」の一員であるからかもしれない。

拙著『官房長官　菅義偉の陰謀』(河出書房新社)でも指摘したが、陰の権力者となった菅は、竹中が総務大臣をしていた時の副大臣であり、その後、総務大臣となった。

そんな関係で、いまも竹中をブレーンとしている。新自由主義ならぬルール破壊主義によって日本をダメにした竹中に師事しているのだから、日本をよくする方策は持っていないのである。

冒頭の場面に戻れば、東洋大学は学生の船橋に退学もほのめかしたらしいが、学問の府を去らなければならないのは〝マック竹中〟の方だろう。

## 〝マック竹中〟で〝パソナ平蔵〟

テレビ朝日系の二〇一六年元日放送「朝まで生テレビ！」での竹中平蔵の発言が批判されている。その場しのぎのデタラメ人間の言うことを、いちいち取り上げるのもいささか虚しいが、元総務大臣で政府の産業競争力会議のメンバーなのだから、黙っていると、いろいろなところに被害が及ぶことになる。

アベノミクスの擁護者の竹中は、「朝まで生テレビ！」で、富が上から下に落ちてくるというトリクルダウン効果を否定し、

「滴り落ちてくるなんてないですよ。あり得ないですよ」

と平然と言い放ったという。

それでどうして「アベノミクスは理論的に一〇〇％正しい」などと言えるのか。

慶大教授を隠れ蓑に、竹中はパソナ会長として、パソナに利権をもたらす政策ばかりを露骨に提言している。

竹中が総務大臣の時の副大臣が現首相の菅義偉で、その後、総務大臣になった菅は、いまもしょっちゅう竹中と会っている。

根まわしと脅しばかり得意で、ほとんどアタマのない菅は、竹中の悪知恵を借りているのである。

そもそも竹中は、日本マクドナルドの社長、藤田田に取り入り、フジタ未来経営研究所の理事長となった。そのころマクドナルドはまだ株式を上場していなくて、その未公開株を竹中は「適正な価格」で譲渡された。そしてその後、同社は株式を上場したわけだが、竹中は大臣となって国会で、

「その株は売ったのかどうか」

と何度も聞かれた。問題になったリクルート事件のような行為だからである。

それで私は、竹中に〝マック竹中〟という名称を進呈した。竹中はそれを喜んでいないらしいが、では、〝パソナ平蔵〟はどうか。

竹中は学者などではなく、学商であり、〝マック竹中〟の〝パソナ平蔵〟なのだ。

そんな竹中批判をまとめて私は『竹中平蔵こそ証人喚問を』（七つ森書館）という本を出した。政策を歪める竹中をこそ国会で喚問すべきだと思うからである。

経済についての考え方ははっきりと二つに分かれる。

城山三郎と長谷川慶太郎は同じ昭和二年生まれだが、バブル派の長谷川とアンチ・バブル派の城山はまったく違っており、長谷川の系譜に堺屋太一や竹中がいる。城山の流れに

は内橋克人や私が並ぶということである。

二〇〇二年八月一六日号の『フライデー』は「デヴィ夫人より悪質な税金逃れ」と題して竹中の逃税疑惑を報じたが、竹中はこんな疑いをかけられるような卑劣な人間なのだ。

竹中は同い年のバブル派作家、幸田真音との対論『ニッポン経済の「ここ」が危ない！』（文春新書）で、金利規制は天下の悪法と武富士などの消費者金融に味方する議論を展開していた。お前が政策に口を出すことこそ日本経済にとって「危ない！」のに。

# パソナ迎賓館で竹中平蔵が寄り添う和服女性

アベノミクスなどというものは株価を上げるためだけのデタラメなものだったことが明らかになった。その宣伝マンの代表がパソナ会長の竹中平蔵である。これだけ株価が下がっても、この〝舌屋〟（舌先だけで言いくるめて商売する輩(やから)）は何のかんのとリクツをつけるのだろう。

「パソナ南部靖之の政・官・芸能人脈」を追った森功『日本を壊す政商』（文藝春秋）にASKA事件で有名になった「パソナグループ」の迎賓館「仁風林」で開かれた琴のコンサートの場面が出てくる。

「この曲は、桜の命の儚(はかな)さを表現しています」

マイクを握って、こう説明を始めたのが竹中だった。奏者は世界的な箏曲(そうきょく)家として知られる西陽子である。和服姿の西に寄り添い、竹中が一曲一曲解説していく。

竹中が琴に詳しいのかは知らないが、ちょっと首をひねりたくなる組み合わせだった。

二人は二〇〇八年一月にスイスのダボスで開かれた世界経済フォーラム東京ナイトで知り合った。そこで西が琴を演奏し、居合わせた竹中と話して、和歌山県立桐蔭高校の先輩と後輩であることがわかったという。

それからまもなく、竹中が音頭をとって、「箏曲家 西陽子を応援する和歌山人の会」がつくられ、竹中は西を「公私ともに応援してきた」のである。

二〇〇九年二月には、中国の上海日本総領事館の招きで、竹中が経済問題について講演し、西がコンサートをやった。以来、「経済講演と琴リサイタルという風変わりなコラボ」が毎年の恒例行事になってきたとか。

上海のコンサートでは、パソナグループ代表の南部もからんだ。南部の長女がステージに上がって、西の傍らでフルートを吹くという一幕があったのである。

著者の森は「日ごろの仁風林パーティでは挨拶を済ませるとすぐにいなくなる竹中が、ふだん司会役を務める南部に代わり、彼女（西）につきっきりでマイクを握って進行役を果たした」と書いている。

この本に詳述されているように、南部が一番親しい政治家は安倍晋三であり、菅義偉とも近い。

二〇一〇年九月一三日付の『日刊ゲンダイ』は「木村剛よりもっと悪い竹中元金融相の大罪」という大見出しの記事を掲載し、「国会招致の動きも」と報じているが、パソナ人脈を探れば「大罪」はさらに明らかになるだろう。

## 竹中平蔵まかり通る

『月刊日本』の二〇二〇年六月号で、自民党は「自由世襲党」に改称しろと主張した。自民党は国民政党を標榜してきたが、「いまや世襲のボンボンが牛耳る階級政党になってしまった」からである。

自民党議員の四割が世襲で、閣僚に至っては五割が世襲。これで政治がよくなるはずがない。この特権的身分社会をぶち壊すためには自民党を「ボンボン党」と「非ボンボン党」に割ることが必要である。前者を「自由世襲党」、後者を「自由利権党」と名づければいい。しかし、実態は世襲議員を利権政治家の非二世が支える構図で自民党は成り立っている。つまり、安倍晋三や麻生太郎らのボンボンを二階俊博や菅義偉らの非ボンボンが支えているのである。それと同じように、小泉純一郎という単純タカ派の下で成り上がったのが利権屋の竹中平蔵だった。看板は民営化ならぬ会社化。それを食いものにしてオリックスの宮内義彦やパソナの南部靖之は利権を拡大させたが、宮内は小池百合子の応援団長であり、竹中はパソナの会長にしてオリックスの社外取締役だから、この四人はつながる。同じ穴のムジナなのである。世襲議員や世襲経営者でない彼らは、新たな利権を求めて、自民党より右の維新と結びつく。橋下徹と竹中は親交があり、竹中が小池と維新を仲介したといわれる。堺屋太一も維新人脈の中心にいた。

竹中は東洋大教授として中立を装うが、パソナの会長であり、オリックスの社外取締役である。その彼がなぜ、政府の諮問会議の民間議員になれるのか。国家戦略特区の規制緩和でパソナは稼いだし、竹中が推進した空港民営化や水道民営化ではオリックスが参入する機会を得た。『月刊日本』の七月号はそれを「自分で提案」し、「自分で決定」し、「自分で儲ける」というパターンで、それが定着したと批判している。そして、衆議院議員の亀井亜紀子と参議院議員の上田清司の具体的な指摘を載せているのである。それによると、「スーパーシティ構想の実現に向けた有識者懇談会」の座長として竹中はスーパーシティ法の成立に尽力したが、これは個人情報が一部の企業に集積される危険性がある。そのため、トロント沿岸部にスマート・シティを構築する事業を推進していたグーグルは、プライバシーの侵害や監視社会になることへの反対運動に遭って、撤退を余儀なくされている。しかし、残念ながら日本ではほとんど問題にもならずに法案が成立してしまった。

前埼玉県知事の上田は、未来投資会議の分科会である「構造改革徹底推進会合・第四次産業革命」会合の会長を務める竹中にだけ、国土交通省の内部資料が開示されたことを指摘する。さすがに国交省も最初は渋ったのだが、竹中が執拗に迫り、「竹中会長限り」で開示されたという。驚くべき話だろう。私は一〇年前に『竹中平蔵こそ証人喚問を』（七つ森書館）を出したが、その改訂新版を出さなくてはならない。

（「佐高信の筆刀両断」二〇二〇年六月二六日）

## 知識の武器商人

「法務・検察のトップ人事も究極的には、国民の直接選挙によって選出された国会議員から選ばれた内閣によって統制されるべきだと思います。その観点で、能力主義に基づいて黒川氏の定年を検事総長への就任含みで延長したことは、国家公務員法に基づいてなされたので問題はありません」

『ＡＥＲＡ』の二〇二〇年二月一七日号でこう言い切っているのは佐藤優である。私は佐藤を敵にも味方にも知識を売る武器商人と批判した。武器商人にとっては敵も味方もないのだが、さすがに最近は馬脚をあらわして、佐藤は政権側にだけ味方していることが明らかになっている。四月一二日付の『産経新聞』では「安倍首相の下に団結せよ」とまで書いていた。これはその何日か前に、やはり『産経』で櫻井よしこが主張していることとそっくりで、佐藤は櫻井優と改名した方がいいのではないかと思ったものである。

佐藤には私もだまされた。二〇一二年四月に出した『国が亡びるということ』（中央公論社）という竹中平蔵との共著で佐藤は、竹中が「新自由主義者」のレッテルを貼られているのを嫌っているのに同調して、レッテルなんていい加減なものだと言っている。しかし、竹中がパソナの会長としてやっていることを含めて規制破壊路線は新自由主義以外の何物でもあるまい。

それからわずか二年後の一四年二月に私は佐藤と『喧嘩の勝ち方』（光文社）という共著を出した。

そこで佐藤は、竹中は、「カネには汚くない」と見当違いの弁護をしながら、私が竹中を、日本マクドナルドの創業者の藤田田がつくったフジタ未来経営研究所の理事長となったことに触れて、彼は「マック竹中」であり、「パソナ平蔵」だと断罪すると、こう持ち上げた。

「佐高さんの竹中批判、うまいんですよ。路線の批判じゃなくて品性の批判ですから。人格攻撃一本で、ぐっと決めちゃうわけですからね」

そして、次のように続けたのである。

「僕はダメなんですよ。けんかの仕方の中で一つ弱点があって、佐高さんに前に指摘されたことがあるんですけどね。やっぱり相手が、よく本を読んでいたりとか、私がわかる範囲の学問の分野のところで、尊敬できる業績を残してると甘くなっちゃうんです」

知識の武器商人としては、敵でも味方でも、知識にかぶれる人でなければ商売の対象にはならない。しかし、本などはいくらでも弁護も修飾もできるのである。佐藤が『AERA』で連載している池田大作論の決定的過ちは本等の資料に頼ってスキャンダルを含む行動を問題にしていないところにある。

撤回せざるをえなくなった検察庁法改正案（つまり黒川を総長とする案）に賛成していたのは自民の他に公明と維新だった。維新の橋下徹や松井一郎と竹中は深い関係にある。大阪府知事の吉村洋文の評判が急に高くなったが、維新はつまり新自由主義であり、公務員等に厳しいことに象徴されるように「公」を削ることに熱心だ。小泉純一郎と竹中が組んで保健所などを削減した結果、コロナ禍が拡大したことを忘れてはならない。佐藤はいつもマルクスを持ち出すが、武器商人にはそれも一つの商品である。

（「佐高信の視点」二〇二〇年六月一〇日）

## おわりに

二〇〇九年三月七日付の『毎日新聞』夕刊に、当時首相だった麻生太郎が一日に東京駅前の八重洲ブックセンターに立ち寄ったという記事が載っている。〈佐高さんの著書『小泉純一郎と竹中平蔵の罪』に目をとめた麻生首相。「買ったら面白いんじゃない。『麻生首相熟読とか』」と笑っただけで、購入は見送った。

その佐高さんは「小泉・竹中路線での改革がどのような結果を生んだか。『郵政民営化に内心は反対だった』なんて責任転嫁している場合じゃない。耳の痛い話でも積極的に受け入れる姿勢が首相には求められる。これからでもいいから、ぜひ読んで」と話した〉

もちろん、麻生批判も入っているから、読んだら、唇をさらにひんまげたに違いないが、麻生の竹中嫌いは有名である。

そして翌二〇一〇年に私は『竹中平蔵こそ証人喚問を』(七つ森書館)を出した。

どっちもどっちという感じの麻生はこれにも「目をとめた」だけに違いない。そのエッセンスだけを残し、以後の竹中批判を含めた本書は拡大倍増版である。

竹中の天敵とも言える植草一秀は『知られざる真実――勾留地にて』(イプシロン出版企画)

で「りそな銀行実質国有化」問題での竹中の暗躍を指摘する。

〈「りそな銀行救済」は小泉政権の経済政策破綻を意味した。民主党が事態を正しく認識したなら、小泉政権は総辞職に追い込まれたと思う。しかし、民主党の追及は本質からそれた。小泉政権の政策破綻を追及せずに、小泉政権を救済してしまった。結果として小泉政権が金融問題を解決して日本経済再生に成功したとの荒唐無稽な話が生み出された。日本が「偽装」の魔術に閉じ込められた。魔術を解かねばならない〉

「りそな」が「標的」とされたのは、旧大和銀行の勝田頭取が小泉政権の経済政策を批判していたからだ、と植草は続ける。

二〇〇二年四月二二日、りそなの監査を担当していた公認会計士が自殺する事件があった。これを『毎日新聞』の山口敦雄記者が丹念に追い、『りそなの会計士はなぜ死んだのか』（毎日新聞社）にまとめたが、竹中と木村剛、そして竹中とチームを組んだ公認会計士協会会長の奥山章雄が連携して、りそなを追い落としたと植草は推論している。

民主党政権になっても、竹中が追いつめられなかったことが、民主党の経済政策についての無知、無能を証明する。

竹中は「一番嫌いなのはタブロイド紙だ」と言っているらしい。つまり『日刊ゲンダイ』は嫌だが、大手紙は恐くないということだろう。

竹中の一刻も早い退場を願って緊急出版してくれた木内洋育さんに感謝する。

二〇二〇年九月九日

佐高　信

［著者紹介］佐高 信（さたか・まこと）

一九四五年、山形県酒田市生まれ。慶應義塾大学法学部卒業。高校教師、経済誌編集長を経て、評論家となる。
主な著書に、『佐高信の徹底抗戦』（旬報社）、『なぜ日本のジャーナリズムは崩壊したのか（望月衣塑子との共著）』『どアホノミクスよ、お前はもう死んでいる（浜矩子との共著）』『偽りの保守・安倍晋三の正体（岸井成格との共著）』（講談社＋α新書）、『池田大作と宮本顕治』（平凡社新書）、『偽装、捏造、安倍晋三』（作品社）、『幹事長 二階俊博の暗闘』『総理大臣 菅義偉の大罪』（河出書房新社）、『国権と民権（早野透との共著）』『いま、なぜ魯迅か』（集英社新書）、『反―憲法改正論』（角川新書）など多数。

**竹中平蔵への退場勧告**

二〇二〇年一〇月二五日　初版第一刷発行
二〇二一年 二 月一〇日　第四刷発行

著者……佐高 信
装丁……佐藤篤司
発行者……木内洋育
発行所……株式会社 旬報社
〒一六二-〇〇四一 東京都新宿区早稲田鶴巻町五四四
TEL 03-5579-8973　FAX 03-5579-8975
ホームページ http://www.junposha.com/
印刷・製本……中央精版印刷 株式会社


ISBN978-4-8451-1660-7